사랑하는 선생님께

- 샘의 마음에 도착한 손편지

발 행 | 2024년 2월 15일
엮은이 | 뮤즈샘
펴낸이 | 한건희
펴낸곳 | 주식회사 부크크
출판사등록 | 2014.01.25(제2014-16호)
주 소 | 서울특별시 금천구 가산디지털1로 119 SK트윈타워 A동 305호
전 화 | 1670-8316
이메일 | info@bookk.co.kr

ISBN | 979-11-410-7209-4

www.bookk.co.kr

사랑하는

선생님께

－ 뮤즈샘 엮음

CONTENT

사랑하는 제자들에게,
그 옛날의 사과선생님에게,
이 책을 바칩니다

지금도 내 안에
또는
누군가의 마음 속에 자리한
사과선생님을 그리며……

* 맞춤법 규정이나 어법에 어긋나더라도
  원본에 있는 표현 그대로 싣기도 함.

존경하는 선생님께 —

"안녕하세요"

점심을 먹고 난 오후예요. 이 시간이 저에게 얼마나

소중한지 몰라요. 더구나 선생님과 만날 수 있어서 기뻐요.

먼저 건강하신 모습으로 다시 만날 수 있게 도와주신

주님께 감사드려요.

방학동안에 편지를 못 해서 죄송하게 생각합니다.

개학 후 선생님을 뵙고 무척 기뻤어요.

선생님을 멀리서 뵙기 때문에 인사는 못했지만요.

이제는 건강하시겠지요. 아니 건강하셔야 해요.

선생님과 많은 얘기를 하고 싶었어요. 궁금한 것도

많았고요. 교무실로 발걸음을 재촉하다가도 용기가

없어서 몇번을 되돌아 왔는지 모르겠어요.

부탁이 있어요. 오직 선생님만이 들어주시리라고 생각해요.

저희 친구 5명과 우정과 사랑을 나누려고 해요. 그런데

뜻이 있는 이름이 없어요. 선생님께서는 예쁜 이름

지어주시리라 믿어요. 처음부터 부탁을 드려서 죄송합니다.

　앞으로는 종종 들러가겠습니다. 〔♡〕에 감사하고

서신으로나마 1년동안 가르쳐주심과 건강을 기원합니다.

　　건강하시고 행운이 함께 하시길 ……

하나. 저는요~

OOO 선생님께.

안녕하세요?

저는 1학년 때 선생님께 문학을 배웠던 OOO입니다.

OO이와도 친했고, 며칠 전 떡도 가져다 드렸지요.

저는 선생님을 너무(무척) 존경합니다.

선생님, 올해는 건강하세요.

작년 여름방학이 끝나고 학교에 나와보니, 선생님이 안 보여서

얼마나 서운했는지 몰라요.

가을이면,

낙엽을 주워다 차가운 물에 닦으시던

선생님의 모습이 눈에 선합니다.

선생님,

저의 학교에 오래 오래 계세요.

그리고 아프지 마세요.

언제나 진실된 웃음, 잃지 마세요.

선생님, 사랑해요.

주님의 축복이 함께 하시길 바랍니다.

그럼, 안녕히 계세요.

2학년 7반, OOO올립니다.

선생님

저는 OOO입니다. 눈이 작은 편이고, 몸은 약간 통통한 편이며,
키도 작은 편입니다.

키가 작다는 것은 싫지만, 선생님을 남들보다
가까이 볼 수 있다는 것은 좋은 것 같습니다.

저는 선생님의 목소리에 무척 반했습니다.

선생님처럼 상냥한 목소리는 처음 듣는 것 같아요.

그리고 어느 누구보다 우리들을 이해해 주실 분 같아요.

사람의 마음은 체격에 반비례하나요?

선생님 체격은 작은 편이시지만, 마음은 그의 10배 정도인 것
같아요.

선생님, 언제나 고운 목소리를 우리에게 들려주세요.

OOO 선생님께

선생님 안녕하십니까? 제가 누군인지 아시겠지요?

선생님께서 저희 반 수업이 없으시다 보니까 선생님을 뵐 시간이 얼마 없는 것 같습니다. 저는 3-O반 중장비 반의 한 사람으로서 열심히 학업과 학교 생활에 참여하고 있습니다.

선생님께서 항상 따뜻하게 대해주신 점, 정말 감사하게 생각하고 있습니다.

저는 중장비 중에 굴삭기 자격증을 취득하여, 이 나라에 반드시 필요한, 나라의 일꾼이 되어 열심히 생활할 계획입니다.

선생님께서도 저희 학생들, 아니 제자들을 열심히 가르쳐 주셔서 바른 길로 나아갈 수 있도록 힘써 주십시오.

지금 생각하면 2학년 때 제가 수업 시간에 정숙하지 못 하고 떠들은 점, 선생님께 죄송한 것이 있습니다. 앞으로는 그런 좋지 않은 습관은 버리고, 좋은 학습 태도를 발휘하여 열심히 하겠습니다.

선생님, 제자들을 가르치시느라고 항상 수고하시는 점, 다는 모르지만 조금은 알 것 같습니다.

선생님, 저도 열심히 할 것을 약속드리면서, 이만 줄이도록 하겠습니다.

몸 건강히 안녕히 계십시오.

제자 OOO올림.

To 선생님께

선생님 안녕하셨어요? 저는 2학년 O반 OOO이에요.

OO이보단 O양이라고 해야 더 잘 아시겠죠?

담임선생님께서 편지를 쓰라고 하셨거든요. 그런데 선생님께
왠지 쓰고 싶은 거 있죠? 제가 11년 동안 많은 선생님을 뵙고
또 접해봤지만, 다들 좋으신 분이지만, 전 선생님이 더 좋아요.
1학년 문학 시간에 선생님을 접해 보고, 얼마되지 않은 시간
동안 많은 시간 동안 뵌 듯이 전 선생님이 매우 좋아졌어요.
이제 2학년이 돼서 선생님께서 저희 가르치시는 게 없기 때문에
잘 뵙지 못하는 게 정말 싫어요.

선생님도 저와 같은 생각이시겠죠? 어쩌다 한 번 복도에서
마주쳐 인사를 하면 활짝 웃으신 모습으로, 말을 건네시는
선생님이 정말 맘에 드는 거 있죠.

저요, 어제 수학여행에서 돌아왔어요. 아주 재미있었어요.
제가 재미있게 놀고 떠드는 동안, 선생님께선 그 여린 몸으로
백묵가루를 마시며 정말 힘드셨지요? 이제 며칠 안 있으면
'스승의 날'이에요. 선생님께 진심으로 감사하며, 축하드립니다.
그리고 제가 수학여행 가서 사온 향나무 볼펜이에요.
그 볼펜을 쓰면, 그 주인 아줌마가 그러는데,
머리가 맑아지고 좋아진대요. 작은 선물입니다만 받아주세요.
선생님을 존경하고, 정말 사랑해요.

OOO 선생님께

온 세상이 모두 하얗고, 찬 바람이 얼굴을 스치고 지나가는
요즘 몸은 건강하시겠지요?

안녕하세요, 선생님.

먼저 병원에 입원하셨다는 이야기를 듣고서도 병문안 못 가서
정말 죄송해요. 마음속으로 무척이나 걱정을 많이 했었어요.
지금은 많이 건강해지셨겠지요?

그러니까 맛있는 음식도 많이 드시고요. 더욱 더 건강해지세요.
저도 감기 걸려서 무척이나 많이 고생했어요. 그런데 지금은
거진 다 나았어요.

제가 1학년 철부지였던 때가 바로 어제 같은데, 벌써 의젓한
여고 3학년생이 되었어요. 저는 이번 3학년이 학교생활의
마지막이 될 것 같아요.

마지막인 만큼 남은 1년 동안은 공부도 더 열심히 하고요.
먹을 것도 많이 먹고요. 운동도 많이 해서 키도 좀 더 크고,
몸도 튼튼하게 해야겠어요.

요번에 선생님들 전근 많이 가실 텐데,
선생님은 가지 않으셨으면 좋겠어요.

선생님, 그럼 몸 건강하세요.

2학년 O반, 제자 OO올림.

Apple Teacher께

선생님 안녕하세요?

저는 열심히 공부하는 3반의 OO하고도 A입니다.

시험이 바로 내일인데, 저는 선생님께 편지나 보내니

죄송스럽기도 하고 내 자신도 민망해집니다.

내일은 우리들이 기다리고 기다리던 기말고사날입니다.

국어도 역시 많이 공부했지만….

뭐, 선생님께서 말씀하신 대로 찌그러진 얼굴 말고,

웃는 얼굴로 시험을 보겠어요. 저 이번 시험 자신 있어요.

선생님. 저 공부 그렇게 잘하지 못해요. 하지만 이번만은

잘 볼 자신 있어요.

저도 선생님에게 부끄럽타지 않는 학생이 되겠어요.

내일이 시험입니다!

저 잘 보게 해 달라고 하나님께 기도해 주세요.

아니 마음 속으로 빌어주시던지요.

선생님께 이런 부탁드려서 죄송해요.

1학년 O반

OOO(A) 올림.

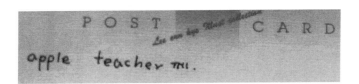

사랑하는 선생님 보세요.

요즘 날씨가 제법 쌀쌀해졌어요.

선생님께선 가뜩이나 추위를 많이 타시는데, 걱정되네요.

선생님. 늦었지만 **"생신 축하드려요!"**

　　　　　　　　↑(좀 선생님껜 안 어울리는데…)

저라두 먼저 알아서 맘껏 축하해 드려야 했는데,

이 못난 제자를 너그러이 용서하세요.

선생님,

지금 무슨 시간인 줄 아세요? 철학시간이에요. 철학선생님께서

자기가 사랑하는 사람이나, 쓰고 싶은 사람에게 편지를 쓰라고

하셨어요. 그래서 이렇게 펜을 들고 있는 거예요.

오늘 선생님께서 저에게(우리 반에게) 세수도 안 하시구

머리도 다듬지 않은 그런 모습을 보여주셨어요. 전 솔직히

쇼킹했는데, 그런 흐트러진 모습이, 저에겐 더 친숙하게

느껴지구, 선생님과의 관계를 돈독하게 해주는 것 같았어요.

선생님, 저는 원래 OO이나 OO이 그리구 다른 아이들처럼

잔정이 없어요. 아니, 있지만 그렇게 표현을 잘 못해요.

그래서 선생님 카세트 한 번 들어주지 못 하구

수업시간에 잘 도와드리지 못해, 항상 죄송한 마음이 있어요.

하지만 이건 알아주세요. 수업 시간 약 90%의 날짜는 제가 쓴

거라구요. 그림은 친구가 그리구.

나서서 하지는 못하니까 수업 준비는 언제나 철저히 할게요.

아, 이건 오빠 소식이에요. 저번에 선생님께서 저에게

물어보실 때, 약간 챙피해서 얼버무렸어요.

저 오빠랑 자주는 아니구 생각날 때 편지만 써요.

그것두 제가 일방적으로요. 그렇다구 오빠가 싫어하는 게

아니니까 걱정 마세요.

첫째 이유는, 좀 있으면 오빠두 3학년이니까

둘째 이유는, 원래 편지를 못 쓰나 봐요. 써두 다른 아이들이

펜팔하는 오빠들처럼, 가지고 오지도 못하구, 부끄러워해요.

(저보다도 못 해요).

셋째는 저두 모르겠어요. 이상한 점이 편지는 받을 때 무지

고마워해요. 기쁠 정도로요. 그래서 좋아요.

그리구 까불거리지 않구, 진지한 구석이 있어요.

그리고 마지막으로 제가 좋아하는 이유는

모든 일에 열심이라는 거예요. 전 열심히 하는 사람이 제일

보기 좋거든요. 하지만 제 눈에 비친 모습이 거짓이면

어쩌나 하고, 너무 고민돼요.

선생님, 우리 다른 얘기해요.

선생님 정말 30대 후반이세요? 거짓말이지요?

선생님께선 26~28 정도로 밖에 안 보여요.

항상 좋은 생각, 좋은 노래, 또 입가에 언제나 미소를 띄우고

계셔서 그러신가봐요. 저도 그 방법 쓸 거예요

예뻐지고 싶은 건 여자의 본능이니까요.

선생님,

전 도서실 자리에 상담실이 있었으면 좋겠어요.

그래야 찾아가지 않고서두, 선생님을 볼 수 있구

또 자주 찾아가 선생님 괴롭히기도 하구 (꿈만 꿔봐요)

선생님께서는 잘 하시는 게 너무 많으신 것 같아요.

전 요즘 허무할 때가 많거든요.

사춘기라서 그렇다고들 하시는데, 너무 가슴이 아프네요.

하지만 제 자신과 끝까지 싸워볼 거라구요.

이길 수 있도록 저에게 힘을 주세요.

그리구 좋은 소식 많이 자주 들려 드릴게요.

선생님, 그럼 학교에서 뵙겠습니다.

- 철학시간에

O반에서 OO이가.

P.S: ① 1반에 들어가시면 눈여겨 봐주세요. 크크

　　　(누구? 글쎄요.)

　　② 많이 드시고, 새벽에 주무시지 말구,

　　　제발 일찍 주무세요(다음에 세수 안 하시면,

　　　"놀릴" 거예요)

15

선생님께

그리 예쁘지는 않은 눈이 내리고 있어요.

교실 안 중간에 훨훨 타고 있는 난로와 친구들의 담소가 오가는

지금은 점심시간을 앞둔 마지막 시간이에요.

선생님,

일년 동안 많은 지식을 가르쳐 주셔서 감사합니다.

그리고, 이렇게 다시 학교에 나오심을,

정말 진심으로 축하드려요.

방학 때 편지 못 올려서 죄송합니다.

방학 전에 1-2반 선생님께 여쭈었더니 미국 가셨다기에,

못 썼습니다. 넓은 마음으로 이해해 주셔요.

상업 시간을 이렇게 내주신 ○○선생님께 감사드리고

조금 더 써야 하는데, 늘 재주가 없어 그만 쓰겠습니다.

선생님, 저는요.

선생님 뵐 때마다 모든 이야기, 하고 싶은 말은,

눈으로 선생님께 하고 있어요.

너무나 많은 영원한 시간, 선생님과 함께 하고 싶기에.

○○가 선생님께.

OOO 선생님께

안녕하세요. 우선 제 소개를 할게요.

저는 2학년 8반에 재학 중인 OOO라는 학생입니다.

선생님께 늦은 인사지만 새해 인사와 안부를 묻고 싶어서

이렇게 펜을 들었습니다. 방학 전에 선생님께서 아프시다는

소식을 듣고, 무척 걱정했습니다. 하지만 지금 건강한 모습으로

학교에 다시 나오시는 것을 보고 정말 기뻤습니다.

저는 1학년 때 문학 시간을 통해서

선생님을 좋아하고, 존경하게 되었습니다.

2학년 때 선생님께 수업을 못 받아서 무척 아쉬웠지만, 선생님이

우리 학교에 다니신다는 것으로도 위안이 될 수 있었습니다.

지금 건강은 어떠하신지 궁금하군요.

많이 좋아지셨겠죠(이제는 안 아프신 거죠?)

저는요. 선생님하고 무척 친해졌으면 좋겠어요. 선생님하고

친해져서 얘기도 나누고 싶고, 저의 고민도 털어놓고 싶을 때가

많았거든요. 근데 성격이 내성적이라 그런지 용기가 나질 않아서

선생님하고 마주 앉아서 얘기한 적이 없었어요.

제가 선생님하고 친해질 수 있도록, 선생님께서 도와주세요.

그리고 선생님. 지금은 쬐금 늦은 인사지만,

새해 복 많이 받으세요. 건강하시구요.

제자 OO 올림.

존경하는 OOO 선생님께.

안녕하세요, 선생님.

벌써 개나리꽃이 고개를 흔들어 주네요.

저도 선생님을 위해 봄 향기가 나는 편지지를 준비했어요.

선생님을 못 뵌 지 벌써 보름 정도 됐네요. 그동안 상담실에
들어가 볼까 망설였었는데……. 이젠 자신감을 갖고, 선생님께
편지를 쓰는 거랍니다.

3월 31일 3교시 때, 저는 무척 슬펐어요.

너무 황당했구요.

집에 가서 울고, 울고, 또 울었어요.

그리고 매일 선생님을 생각했어요.

하지만 별로 만날 기회가 없었어요.

선생님과 친해지고 싶었는데

말이에요.

선생님과 아주 친해지고 싶어요!

　　　　　　　　　-선생님을 무지무지 존경하는 제자, OOO 올림.

추신: 선생님이 좋아하시는 사과를 못 드리고,

　　　꽃으로 드려서 죄송해요. 제 성의니까 받아주세요.

　　　그리고 선생님 말씀대로

　　　항상 맑은 눈을 가질 수 있도록 노력하겠어요.

사과선생님께 드리는 글

안녕하시렵니까?

저는 이번 겨울방학동안 무지 외롭고 우울했어요.

그래서 친구의 소중함을 진실로 느꼈답니다.

또 제가 제일 소중히 여기고픈 것은 우정이 되었어요.

저의 성격? 의문이에요.

어떨 땐 내성적 또 어떨 땐 외향적, 모르겠어요.

한데 제가 소극적이라는 것은 확실합니다.

무슨 일이든 나서서 하질 못해요.

속으로 무척 하고 싶어도 겉으로 표현을 못해서

꼭 하고 싶은 것도 하지 못해요.

그리고 내가 이런 일에 나서서 하면 아이들이

'쟤는 너무 나선다. 난 쟤 싫어' 라는 말을 듣게 될까봐

겁도 나고요. 정말로 소극적이죠.

고등학교 생활 동안 꼭 고쳐보고 싶어요.

저는 글 쓰는 걸 참 못해요.

적절한 단어 생각도 잘 안 나고.

지금은 선생님께 저를 좋게 보여드리고 싶어,

고치고 고치고 무척 노력해서 쓰는 건데, 이것 밖엔 안 돼요.

편지를 쓸 때, 하고 싶은 말은 무지 무지 많은데,

내용을 정리해서 쓸 수가 없어요. 어쩌죠?

하지만 최선을 다해 열심히 하겠습니다.

선생님은 참 좋으신 분 같아요.

좋은 말씀도 많이 해주시고.

선생님은 제가 가장 좋아하고 편한 친구들 중 하나인,

OO이라는 친구와 아주 많이 비슷해요.

중학교 졸업 후(저는 OO중 졸업했어요) 한 번도 못 본

그 친구가 정말로 보고 싶네요.

그 친구는 얼굴보단 목소리가 예쁘고, 발음도 정확했어요.

아나운서가 꿈이라고 했어요.

저는 아직 꿈, 장래 희망을 정하지 못했어요. 무엇이 제게

어울리는 직업인지, 특기가 무엇인지 아직도 모르겠어요.

고등학교 생활이란 것이 너무 삭막한 것 같아요.

어떻게 해야 보람 있는 고등학교 생활이 될까요?

최선을 다해 모든 일을 끝까지 한다면 될까요?

선생님은 저희가 대하기에 참 편하신 것 같아요.

꼭 친구 같은 느낌이에요.

저는 작문을 좋아하지는 않지만, 선생님이 좋으니까

열심히, 부지런히, 최선을 다해 공부하겠습니다.

그리고요 저도 생라면 좋아해요.

사과도, 사탕도.

선생님 안녕하세요?

선생님께선 제가 누군지 모르실 거예요.

이름을 쓰려고 했지만 왠지 좀 쑥스럽고,

선생님께 그저 제 순수한 마음을 보여 드리고 싶어서요.

선생님! 전 선생님이 무지무지 좋아요. 그리고 존경해요.

전 선생님께서 수업 들어오시면 기분이 안정되고 그저 마냥 좋고,

작문시간, 국어시간 한 시간이 아쉽고, 시간이 멈춰 주길 바래요.

아마 제가 좀 정서불안인가 봐요. 하여간 그래요.

제가 너무 서론이 길었나요?

전 고민이 생겼어요. 뭐냐고요? 바로 선생님 때문이에요.

제가 그렇게 좋아하는 선생님께서 요즘 짓궂은 아이들 때문에

많이 힘들어 하신다는 소리 듣고 전 정말 속상하고, 어떻게 제가

선생님 도와 드려야 겠는데, 막상 방법이 없는 거예요.

제 마음 아마 모르실 거예요. 별의별 생각을 다하고, 심지어는

그런 아이들을 때려줄까라고 생각했는데 옳지 않은 것 같아서요.

고민이에요. 무언가 해 드리고 싶지만, 이렇게 편지를 쓰는

방법을 택했어요. 선생님 힘내세요. 아이들이 뭐래도 전 선생님

이 좋아요. 저뿐만아니라 선생님의 열렬한 팬들이 많이 있습니다.

아이들이 너무 짓궂게 구는 것 같던데, 선생님께서 이해하세요.

편하게 생각하세요. 그런 아이들 생각보다 저희들 생각하세요.

그리고 힘내세요. **선생님, 파이팅!**

선생님에게,

선생님께 작문 수업을 3시간 밖에 받지 못하고,

1학년을 마치게 되어, 무척 섭섭해요. 선생님에 대해서 좀 더

알고 싶어요.

선생님의 수업 방식이 참 제 맘에 들어요.

지루하지 않아요. 재미있어요.

항상 틀에 박힌 수업만 듣다가, 작문 시간 1시간이

금방 지나가서 아쉬움이 남아요.

하지만 전, 한 번도 발표를 해보지 못했어요. 전 수줍음을 많이

타고, 왠지 애들 앞에서 발표한다는 게 힘들어요.

떨기도 참 많이 하지요. 매일 보는 아이들인데도….

저는 그래서 수업 중에 책을 읽을 때도 꽤 많이 떠는 편이에요.

앞으로 이런 수업을 좀 더 많이 하면,

저도 이렇게 떠는 것을 고칠 수도 있을 텐데….

벌써 1학년의 마지막 날을 보내게 되었네요.

섭섭해요.

그럼 안녕히….

○○○

전요 유치원 선생님이 되는 게 꿈이에요.
저도 선생님처럼 아이들에게 많은 사랑을 받는
귀여운 노랑 애들의 선생님이고 싶어요.

예쁘시고 자상하신, OOO 선생님께

선생님, 안녕하세요?

저는 1학기 초기부터 선생님께 걸린 OOO랍니다.

선생님, 요즘 날씨가 거의 가을이죠? 저는 4계절 중에 겨울이 제일 좋아요. 왜냐구요? 눈 갖고 놀 수가 있잖아요.

선생님, 선생님은 어느 계절이 제일 좋으세요?

선생님! 저는 선생님을 처음 봤을 때, 다른 선생님들과는 좀 다르다 생각했어요. 그 이유는 잘 모르겠구요.

선생님, 저는요. OO랑 상담실 청소할 때, 청소도 하긴 했지만은요. 놀기를 더 좋아했어요. 선생님도 눈치 차리셨죠? 죄송합니다. 이제부터는 열심히 청소하면서, 열심히 놀게요. (무슨 말인지 모르겠네요).

선생님, 저는요. 수학과 영어가 제일 싫어요. 골치가 아프거든요 (공부하기 다 틀렸죠?) 그리고 선생님, 저희 반 애들과 그리고 저 이렇게, 저희 반 아이들이 공부 시간에 말을 잘 안 들어요. 봐주세요. 열심히 노력하겠습니다.

(하지만 혼내실 땐, 혼내셔야죠.)

선생님. 저 바르고 정직하게 살게요. 멀리서 지켜봐주세요.

아 참! 선생님.

저는요. 이 세상에서 OO이와 제일 친하답니다. 저희 둘은 초등학교 때부터 친구였거든요. 우리는 서로가 서로를

이해하면서 지내요. 하지만 가끔은 싸우죠. 그래도 저희 둘은
언제나 친하게 지낼 거랍니다.

선생님도 어서 짝을 찾으시기 바랍니다.

　　　　　　　　　- 선생님을 존경하고, 잘 노는, OO올림.

To. OOO 선생님께-

선생님, 안녕하세요? 제가 누군지 아시나요?

저는 3학년 O반 OOO이에요.

오늘 제가 친구 지나와 상담실에 찾아갔었죠.

선생님. 어제 선생님의 모습이 얼마나 좋아 보였는지 아세요?

마치 10대보다도 더 힘차고 활기차 보였어요. 무슨 좋은 일이

있으셨나 보지요. 그러나 오늘은 선생님 모습이,

표현을 할 수는 없지만, 아무튼 안 좋아 보이셨어요.

그래서 이렇게 글을 쓰게 되었구요.

선생님, 저는 선생님께 정말 감사해요.

제 생일을 기억해 주시고 선물까지 주시는 선생님은, 제가 학교

생활을 하면서 처음이었어요. 제 생일을 알아주시는 것도

감사한데, 고운 포장지에 싸여 있는 달콤한 사탕 그리고 떡,

예쁜 그림 위의 시. 그리고도 탐스럽게 익은 빨간 토마토, 공책,
제가 어떤 사람이 되었으면 하는 마음.
이렇게나 많은 선물을 받은 저는, 정말 행복했습니다.
선생님께서 머릿속이 복잡해서 뭘 해야 할 지 모르겠다고 하신
가운데에도, 저에게 선생님의 마음을 나누어 주신 것,
정말 잊지 못할 거예요.
선생님께서는 언제나 소녀 같으세요.
그런데 언젠가 선생님의 긴 머리를 자르신다고 하셨는데,
제 생각은 자르시지 않았으면 해요. 그 이유는 잘 모르겠어요.
제 친구 OO 아시죠? 상담실에 같이 왔던 제 친구요.
저랑 제일 친한 친구지요. 그 친구의 좋은 점은 참 많아요.
저도 그 친구와 친해지면서 많은 점을 배우고,
나쁜 점은 고치고 있어요. OO도 그럴까요?
선생님. 제 꿈은 선생님과 같은 직업으로 갖고 싶어요.
그것을 이루기 위해 노력을 끊임없이 해야겠죠?
선생님, 그리고요. 선생님께서 좋아하시는,
아니 꼭 선생님께서 좋아하셔서서 그런 것보다
항상 맑고 바른 생활을 하도록 노력하는, OO이가 될 거예요.
그럼 이만 줄일게요.

선생님을 존경하는 OO이가.

(선생님, 서는 선생님의 따뜻한 마음을 존경해요)

OOO 선생님 보세요!

존경하는 선생님! 선생님, 저 OO예요. 3-10, OOO.

지금까지 선생님께 좋은 모습 대신 많은 실망감만 안겨 드렸는데...... 솔직히 지금 선생님이 원망스러워요. 선생님과 이렇게 일찍 헤어질 줄 알았으면, 선생님 좋아하지 않았을 거예요. 선생님께 가사 지은 거 보여드리려고, 열심히 노력하고 있었는데...... 선생님과 눈 마주치고 얘기 해본 것도, 선생님뿐이었는데.

왜 빨리 말하지 않으셨어요? 차라리 선생님을 몰랐으면 좋았을 걸... 하긴... 잠깐이라도 몰랐다면, 지금 전 선생님들을 정말 싫어하는 학생이 되어 있을지도 모르죠. 왜 하필이면 선생님께서 가셔야 하는지...

선생님께서는 매일 저 믿어 주신다 하면서, 다른 나라 가는데 귀띔도 안 해 주시고... 하지만 자꾸 이런 말 하면, 선생님 가실 때 발걸음이 무거우시겠죠? 죄송해요. 그동안 못난 제자 되었던 저, 용서하세요, 선생님! 선생님 앞에 부끄럽지 않은 모습으로 자라날게요. 건강하세요! 이제 밥 좀 많이 드시구요. 힘드실 때 저희 생각하세요...[사랑합니다! 존경합니다!]

- OO 올림 -

p.s. **영원히** 행복하세요! 다시 만날 날을 기다려요...

선생님,

저 요즘 짜증스런 얼굴이, 제 모습이 되어 버렸어요.

모의고사 점수가 너무 형편 없어요...

아빠, 엄마 앞에서 고개를 들 수가 없어요.

어느 하루는 마구 울었어요. 울 때는 너무 시원했어요.

그런데 울고 나니 마음이 아팠어요.

선생님, 저에게 용기를 주세요.

선생님,

이제 제 이야기 고만 할게요.

선생님께서는 OOO고라는 곳에 계신데,

아이들은 선생님 말씀 잘 듣는지 너무 궁금해요.

또 건강은 어떠시고, 식사는 잘 하시는지요?

선생님, 살은 많이 찌셨는지요? 많이 잡수셨으면 좋겠어요.

선생님께서 웃으시는 얼굴을 보고 싶어요.

선생님,

항상 모든 아이들에게 웃음을 보여주세요.

이게 선생님의 얼굴이세요.

다음에 또 인사드릴게요.

그럼, 안녕히 계세요.

                                        OOO 올림.

P.S. 선생님 내용이 좀 엉망이에요. 그래도 잘 읽어주세요.

OOO 선생님께

안녕하세요?

수업에 들어오신 걸 보고, 너무나 반가웠어요.

먼저 건강한 모습으로 돌아오신 걸 환영합니다.

선생님이 떠나시고, 얼마나 보고 싶었는지 모르실 거예요.

말썽만 피우고 속만 썩이고…

다시 선생님이 돌아오신다면, 착실한 아이가 될 테니

선생님이 다시 돌아오시게 해 달라고, 마음 속으로 간절히

애원했거든요.

말 잘 들어야지 하면서도,

아이들의 흐름 때문에, 자꾸 산만해지고 떠들었는데

그게 얼마나 후회가 되던지…

저의 엄마께서도

강냉이를 무척 좋아하세요. 그래서 저도 강냉이 귀신이 됐구요.

강냉이를 먹을 때마다, 선생님 생각이 나도 기회가 없었는데

오늘 학교 오는 길에 샀어요.

혹시 눅지는 않았는지 모르겠네요. 눅으면 맛이 없는데……

시간이 없어서 더 못 쓰겠어요.

반가웠다는 말 밖에는 생각이 나지 않아요, 선생님.

이만 줄이겠습니다.

OOO

To. 국어선생님께

어제(11월 6일)에 주신, 쵸코파이와 들깨차가 제 마음을
따스이 녹여줍니다.

요즘 이상하게도 돌아서면 배고파서 견딜 수가 없어요. 몸무게가
좀(?!) 늘어서 걱정이에요. 사실 그동안 약 기운 때문에
살이 덜 쪘다, 다시 '디룩디룩' 찌기 시작했어요.

휴~ 어떡하든 날씬~하게 보이려고, 식욕을 자제하려고도 하고,
운동(고작 윗몸일으키기 5분)도 하지만 한 번 찐 살은 안 빠져요.
울 엄마는 매우 날씬하시거든요 (물론 선생님도 날씬하시지만….)
엄마만 보면 너무 부러워요. 어떻게 저런 몸매를 가진 엄마가
나같은 이런 딸을 낳았을까 하구요. OO도 날씬해요.
게다가 얼굴형도 이뻐서 어떤 옷이나 입어도 어울리는데…
선생님! 제가 정말 미워요.
특히 완전 오리지날 조선 무다리와 창피한 뱃살~
제발 이 두 군데만이라도 날씬하면 더없이 좋을 텐데…. 선생님,
아마 이대로 계속 살이 찐다면 커서는 매우 뚱뚱해질 것 같아요.
저는요. 정말 이 아름다운 길거리를 최신 유행으로 중무장하고
다니고 싶어요. 예쁜 옷을 입고 어딜 가든 부러운 시선을 받고
싶은데, 이 살들이 나를, 아니 나의 희망을 갉아먹어요.
으~윽! 오~ 나의 살들이여!
오~ 나의 몸무게여! ~

To. OOO(t)께

안녕하세요? 저 김OO이에요. 누군지 아시겠죠?

선생님! 제 꿈이 선생님이 되는 거거든요.

저두 선생님처럼 가르쳐 보구 싶어요. 근데 전 수학선생님이

되고 싶은데, 수학이랑 국어랑은 좀 다른가요?

저요 소개서에서 아셨겠지만 중고등학교 선생님이에요, 꿈이.

근데 엄마랑 아빠랑 친구들이 전 초등학교 선생님이

더 잘 어울린대요. 휴~ 제가 애들을 좀 좋아하거든요.

그래서인지 밖에 나가면 저보구 다 초등학생이라구 그래요.

이제는 별로 싫지 않아요. 전에는 싫었는데……

글구여 선생님.

선생님이 처음에 들어오셔서서 선생님의 눈을 보라고 하셨죠.

그 후로 제게 버릇이 하나 생겼어요.

부모님은 물론이고 선생님, 친구들 모두와 말할 때, 언제나

상대의 눈을 보게 돼요. 그럼 왠지 대화가 더 잘 되는 거 같아요.

싸울 것도 안 싸우고~~ He He~~

그래서 저두 나중에 선생님이 돼서 아이들한테 말해줄 거예요.

"내 눈을 보라구!"

진짜예요, 선생님.

저는요, 선생님이 진짜루 좋은 거 있죠~~~~~**

From. OO올림.

선생님,

전 OO라고 해요. 안OO. 저희 반에 OO가 3이라.

전 중2, 2학기 때 충북에서 전학왔어요. 지금은 너무 많은 친구들과 친해졌죠. 2학년 때 이곳에 와서, 많이 힘들었어요.

전 참 나쁜 애라고 생각했어요. 그래서 전학 와선 예전처럼 나쁜 짓도 하지 않고, 열심히 공부하겠다고 다짐했었죠.

근데 제가 지각을 하는 편이거든요.

물론 제가 잘못한 거지만, 담임선생님께선 그런 저를 너무나 미워하셨죠. 매번 저에게 다시 전학가라는 말을 하셨어요.

다른 애들과 똑같이 일을 저질러도, 무조건 절 제일 앞세우시고 때리시고, 정말 힘들었어요. 솔직히 다시 전학 가고 싶은 생각도 들었어요.

그런데 차츰 3학년이 되어가면서, 선생님이 밉다기보다는 '선생님이 날 왜 싫어할까?' 그런 걱정이 많이 되더라구요.

그런데 제게도 이젠 희망이 생겼어요. 선생님을 만나고부터요.

선생님!

전 선생님 같이 개방적이시고, 우리들 마음을 이렇게나 많이 헤아려 주시는 선생님은 처음이에요. 전 처음부터 선생님 같은 분이 필요했는 지도 몰라요.

선생님을 보면 제가 너무 숙연해지는 거 같아요.

선생님이 제게는 많은 힘이 될 거 같아요.

저만 특별히 잘해 주길 바라는 게 아니라,

우리 학생들을 믿고 이해하시는 분이라는 것만으로도 말이에요.

제가 국어나 그 외에 다른 공부를 특별히 잘하는 건 아니에요.

하지만 지금부터라도 노력하면 좋은, 남부럽지 않은 고등학교를

갈 수 있을 거라 전 믿어요.

전 정말 자랑하고 싶은 게 있긴 있어요. 그게 뭐냐구요?

바로 춤과 노래예요. 둘 중에서도 춤이요.

아직 누구에게 보여줄 만큼 자신은 없지만, 전 제 자신을

믿거든요. '난 춤을 그 누구보다 잘 출 수 있다'

아니 '잘 춘다' 이렇게 말이에요.

정말 춤이 없으면 못 살 만큼, 너무나 춤이 좋아요.

그리고 꼭 가수가 될 거예요. 뭐든지 최고인 가수! 꼭이요!

전 자신감을 가질 거예요. 오디션 볼 생각이에요.

선생님도 응원해 주실 거죠? 절 지켜봐 주세요.

이번에 떨어져도 실망하지 않을 거예요. 기회는 많으니까요.

참! 제가 시 좋아한다고 했죠?

요즘 푹 빠져 있는 시가 있어요. 황동규 시인의 '즐거운 편지'요.

사실 전 가사를 가끔 가다 쓰거든요. 그래서 시 짓는 걸

좋아해요. 실력은 안 되지만.

'즐거운 편지' 중에 외운 부분이 있어요.

써볼게요!

내 그대를 생각함은 항상 그대가 앉아 있는 배경에서

해가 지고 바람이 부는 일처럼 사소한 일일 것이나

언젠가 그대가 한없이 괴로움 속을 헤매일 때

오랫동안 전해오던 그 사소함으로 그대를 불러 보리라.

썼긴 썼는데 맞는지 모르겠어요.

선생님 제가 가사 쓰는 거요. 나중에 많아지면, 모아서 보여

드릴게요. 어떤지 말해 주셔야 해요. 전 지금 가수가 되기 이전에

뭐든지 어느 한 가지 인정받고 싶어요.

지금 밤 12시 다 돼가요. 좀 졸리네요!

다음주 주말 선물(과제)은 뭐가 될지….

선생님!

저희를 그대로 믿어 주시는 그런 훌륭한 선생님이 되어주세요.

사실 그 누구보다 저희 학생들에겐, 선생님 같은 분이 필요해요.

참 아쉬운 게 있어요!

국어부장 아직 안 정해진 줄 알고 하고 싶다고 말하려고 했는데

OOO가 됐다구요. 흑~ 잉잉. 아니에요. 이번에 저도

부장 같은 거 해서 책임감이라는 거 느껴보고 싶어요.

열심히 할 거예요.

제 춤이요. 선생님께는 언제 한 번 보여 드리고 싶어요.

정말 뭐든지 열심히 하는 OO가 될게요.

그럼 이만……

선생님께.

안녕하셔요? 선생님께선 방학을 어떻게 보내셨는지
무척 궁금하군요. 방학 때 편지를 드려야 했는데
이렇게 되었네요.

방학 전에는 하루 중, 선생님 뵙는 시간이 제일 행복했고,
마음이 편했었는데…… 오늘은 좀 슬펐어요.

점심시간 종이 울리자 마자 OO이와 전 바로 상담실로
향했습니다. 그런데 선생님께선 자리에 안 계시더군요.

무슨 일인가 싶어 OOO선생님께 여쭈어 보았더니
말씀을 해 주셨습니다.

진작 선생님께 편지를 드렸으면 얼마나 기뻐하실까?
이런 생각을 하니 내 자신이 한없이 미워졌습니다.

뵐 적마다 너무 여려 보이시고, 그래서 걱정을 했는데……
선생님, 괜찮으신 거죠? 그렇게 믿겠어요.

전 방학 동안 깜둥이가 되었고, 살도 찌고 그랬는데
공부는 하나도 하지 않았지만, 하루하루를 책을 보며 방학을
보내 참 좋았는데, 선생님은 몸이 편찮으셨군요?

선생님, 빨리 건강 찾으셔서, 우리들 앞으로 빨리 오시길
하느님과 성모 마리아님께 기도드릴게요.

안녕히 계셔요.

OO 드림.

OOO 선생님께

1학년 O반 OOO입니다.

선생님께 오랫동안 기억되고 싶어서 저의 사진을 붙였어요.

중학교 때 원서를 OO or OO 망설이다가 OO에 왔어요.

엄마께서는 반대하셨지만, 전 OO 들어간 애들보다 더 열심히
공부하기로 마음먹고, 제일 친한 친구와 같이 OO에 왔어요.

처음 반 배정을 받았을 땐, 선생님도 무섭고 애들도 낯설어서
중학교 때로 돌아가고 싶은 마음이었는데, 지금은 안 그래요.

친구들도 많이 사귀고 선생님들께서도 재미있으시고,

참 좋거든요.

참! 전요. 행운아 같아요.

6학년 때 친했던 친구 4명을, OO에 와서 만났거든요.

중학교 때는 학교가 달라서 만나지 못했는데, 고등학교에 와서
만나니까 참 좋아요.

근데 아쉬운 점은 어쩐지 서먹서먹해요.

빨리 예전처럼 돌아갔으면 해요.

선생님께서는

몸이 허약하신 것 같아요. 좀 걱정이 돼요. 아프시지 마시고,
만약 아프시다면 빨리 낫기를 바래요.

전 매일 잠자기 전에 하나님께 기도를 드려요.

기도하고 나면 괜히 마음이 편해지거든요. 오늘은

"하나님! 고등학교 초라서 아직 잘 익숙해지지 않았는데,

학교 생활에 잘 적응해 나가도록 도와주시고,

OOO선생님께서 몸이 아프시다는 얘길 들었는데,

빨리 낫게 도와주세요" 하고 기도를 했어요

선생님,

제가 요리 하나 가르쳐 드릴게요.

두 컵에다가 인내심을 철철 넘치게 붓고

애정도 많이 붓고

이해도 두 스푼 정도 보내고

웃음도 약간 치고

친절도 넉넉히 뿌리고

믿음도 많이 넣어

 잘 섞은 후

만나는 사람마다 나누어 주면

'행복의 별'이라는 요리가 될 거예요.

선생님, 저 오래오래 기억해 주서야 돼요.

좀 미약하지만, 제 마음을 표현한 글이에요.

항상 건강하시고, 웃으면서 사세요.

유리보다 더 투명하고 맑은, OOO올림.

선생님.

전 OOO입니다. 얼굴이 하얀 아이라고 생각하시면 됩니다.

남동생이 하나 있는데, 자꾸 까불어서 속상할 때가 많아요.

전 작문선생님이 정말 좋아요. 선생님께서 절 잘 봐주신다면

저도 부끄럽지 않은 제자가 되도록 노력하겠습니다.

모든 일에 열심히 임해서, 선생님과 개인적인 애기도

많이 나누고 싶어요.

정말 선생님 말씀 듣고, 제 나름대로

반성도 하고 느낀 것도 많았어요.

집이 역곡이라서, 또 게다가 몸이 건강하질 못해서 차 타기가

힘들었는데, 우리 학교의 좋은, 개성 있는 선생님들을 생각하면,

내심 버스 안에서 기대를 하면서 오게 됩니다.

그리고 선생님께서, '자신의 생활에 의미를 부여하자'는 말이

정말 좋아요

전 내심 고민거리가 계속 있었는데, 선생님 말씀 듣고

풀어버렸어요.

앞으로 선생님과 많은 애기를 나누고 싶어요.

선생님의 말씀 하나 하나 기억하고 있고,

저에게 선생님의 말씀이 큰 영양분이 되었다는 걸,

말씀드리고 싶었어요.

선생님

저 문득 이런 생각을 했어요.

선생님은 꽃잎 한 장 한 장을 끼워 넣을 때,
무슨 생각을 하셨을까? 저도 언젠가 단풍잎을 주워다가
한 장 한 장 책 속에 끼워 넣었어요.
그 당시에는 몰랐는데, 나중에 그 책을 들췄을 때
단풍잎이 나오더군요. 기분이 썩 나쁘진 않았어요.
있잖아요, 저는요. 말도 많지만, 말보다 생각이 더 많아요.
그래서 머리속이 복잡하구요.
전 혼자 외로울 때는 항상 글을 써서, 제 마음을 위로했어요.
글을 쓸 때만큼은 그 누구를 대하는 것보다 솔직했구, 그 누구의
조언을 듣는 것보다 효과적이었어요. 아직도 힘들거나 답답할 땐
글을 써요. 옛날에 쓴 글을 읽어보면 참 재밌고, 기분이 풀려요.
제 생각을 모두 다 말로 전하기 힘들었나봐요. 들어줄 사람도
찾기 힘들었고… 항상 보면 제 생각은 아무 것도 없는 흰 종이
위에 모두 모여 있는 거 있죠.
지금은 책을 읽은 후에 누군가에게 전하고 싶은데, 누구에게
어떻게 말해야 할 지 모르겠어요. 그래서 언제나 그래왔듯이
글을 쓴답니다. 제겐 말보다는 글이 더 익숙해져 있거든요.
저는 말보다 더 익숙해진 글로써, 선생님을 뵈렵니다.
그럼, 이만 줄입니다.   OOO

선생님 안녕하세요?

저는 선생님 같으신 분을 만나거나, 한 번쯤은 선생님처럼 살고 싶고, 소녀풍이 넘치는 느낌이 좋았는데, 이렇게 선생님을 뵙고 자유로이 생활을 할 수 있게 되어서 무척 좋아요.

제 이름은 OO이고요. 전 심심하면 바이올린이나 피아노를 열심히 연주하는, 음악을 좋아하는 소녀예요. 바이올린은 5학년 9월달부터 배웠고, 피아노는 1학년 2월달부터 배웠어요.

제가 잘 연주하고 많이 접해서 그런지, 저는 연주하는 것을 너무 너무 좋아해요. (ha ha^^)

제 장래 희망은 아주 좋은 선생님이 되는 거예요. 제가 선생님이 돼서 애들한테 해줄 것을, 비밀일기장에 적고 있는데, 선생님께서 하시는 방법도 넣어야겠어요. 햐~~

지금까지 열심히 쓰니 팔이 아프네요.

선생님께서는 차를 많이 드시는 것 같으세요. 저도 녹차를 좋아 해요. 설탕을 두 숟가락 넣기도 하지만… (킥킥).

아 참! 제가 선생님께 드릴 것이 있어요. 바로 이 것(컵)이에요. 예쁜 컵에다가 차 드세요!

그리고 마지막으로 드릴 말씀이 있어요.

사과 많이 드시고, 더 예뻐지시고요. 녹차도 많이 드셔요.

항상 건강하시길 빌어요. 그럼 이만…

　　　　　　　　　　　　　　- 선생님의 제자 OO올림.

국어선생님께

편지I.

선생님, 자주는 아니지만 편지를 쓸 적마다 항상 죄송한
마음을 갖고 있어요. 선생님께서는 잘못을 해도 그걸 좋은
쪽으로 표현해 주시고, 따뜻한 말로 속삭여 주시고,
힘들어할 적마다 위로도 해주시곤 하는데, 저희는 그 순간만
반성할 뿐, 다시 한 번 생각해 보질 않아요.
또 숙제를 다 했으면서도 대답도 잘 하지 않고.... 전 지금까지
그랬어요. 선생님께서 내주신 숙제는 꼭 다 해가면서도
수업시간엔 발표도 잘 안 하구, 대답도 잘 안 했어요.
틀리면 어쩌나 하는 생각에, 속으로만 답을 해요.
아마 다른 친구들 중에서도 저와 비슷한 아이들이 많을
거예요. 그러면 선생님들께서는 더 힘들어 하시곤 해요.
저희 반은 다른 수업 시간에도 대답을 잘 안 해서,
"너희 혼났니?" 하는 질문을 많이 받아요. 그러면 저희는 그냥
웃기만 하죠. 이런 점을 고칠 수 있을까요? 전 노력할 거예요.
대답도 잘 하고, 더욱 더 발전된 모습으로 변할 수 있게
말이에요. 그래서 선생님께서 조금이라도 덜 힘드시게,
저희 반 모두 노력해서 힘 안 드시고, 즐거운 수업을
할 수 있게요......
선생님, 힘내세요!!

편지II.

지금 이 편지를 쓰고 있는 시각은, 12시 30분을 넘긴
밤이에요. 학원을 갔다가 와서 쓰고 있어요.

7시 30분에 학원에 가서, 3시간의 수업을 마친 후 자율학습을
하고 와서, 조금 피곤해요. 시험기간이라서 공부하려고,
12시, 1시까지 남아서 공부하는 아이들의 모습도 많아요.

중 3이라 그런지 마음도 무겁고, 불안하기만 해요.

제가 플롯이라는 관악기를 다루는데, 그걸로 예고에 갈까 하고
생각 중이에요. 확실히 결정한 건 아니에요.

중 3, 곧 고등학교 들어갈 생각을 하니, 막연하게 생각해 오던
장래희망도 사라져 버렸어요. 구체적으로 이러한 사람이
되겠다는 꿈도 없어졌어요. 지금은 그냥 피아노 치고, 플롯만
불면서 평생 살고 싶어요. 아무 걱정 안 하구 편안하게......

불가능한 것인 줄 알기 때문에 더 걱정되고 불안하고,
꿈, 희망 없이 살아온 게 한심스러워요. 요즘 들어 멈추지 않고
빨리만 가는 시간 때문에 더 걱정이 돼요.

이제부터 전 매일 기도할 거예요. 하는 일, 즉 원하는 일이
모두 이루어질 수 있게요. 선생님께서도 가끔씩 기도해 주세요.

거의 다 쓰니, 1시가 되었어요. 선생님께선 지금쯤 주무시고
계시겠죠? 그렇다면 좋은 꿈 꾸세요.

- 제자 OO 올림.

OOO 선생님께

안녕하세요? 저는 선생님의 사랑을 많이 받는, 귀여운(?) 제자,
OO랍니다. 선생님께 이렇게 편지를 보내 드리는 것은
처음이죠?

저는 참으로 기뻤어요. 왜냐면, 3학년에 올라와서 선생님같이
마음이 따뜻하시고, 다정하신 선생님의 과목부장이 된 것이
말이에요. (선생님도 그러신가요? Hi- Hi)

3학년 올라온 지도 벌써 3달 가량이나 됐어요. 참 시간이 빨리
가는 것 같아요. 저는 이 시간을 헛되이 안 보내도록 열심히
노력하고 있어요.

선생님, 이 번에 중간고사를 잘 못 봐서 속상하시지요?
죄송해요. 기말고사 때는 저를 비롯하여, 저희 반 아이들
열심히 공부해서, 좋은 성과 보여 드릴게요. 꼭이요.

지켜봐 주세요.

제가 드리는 '외눈박이 물고기의 사랑'이라는 류시화 님의
시집은요. 저를 아껴 주시고 지지해 주시는, 저희 막내
고모님께서 골라 주신 시집이에요. 선생님께서 기쁜 마음으로
받아 주셨으면 해요. 선생님께서는 시와 음악을 참 좋아하시는
것 같아요. 그래서 저는 이 시집을 드리는 것입니다.

아무쪼록, 1년 동안 선생님과 저와, 잘 지냈으면 하구요.
선생님 은혜 베풀어 주신 걸, 진심으로 감사드립니다.

안녕히 계세요.

#선생님, 사랑해요!#

　　　　- 선생님을 존경하는 귀여운(?) 제자로부터.

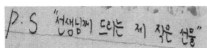

OOO 선생님께

초여름 기운이 도는 오월 중순, 어느 무더운 여름날.

15일 '스승의 날'을 맞이하여, 선생님께 이렇게 편지를 띄웁니다.

안녕하셨는지요?

저는 선생님의 수업을 항상 기대하고 있는 1학년 11반의,

선생님처럼 조그마한 소녀입니다. 이름이 뭐냐구요?

글쎄요. 이 편지 끝날 때까지 맞춰 보세요.

저는 항상 선생님을 존경하고 부러워하고 있어요.

가냘픈 몸매, 목소리. 또 그러면서도 자기 직업에 대한 책임의식

and 혼자 사시는 그 편안함 등이 제가 무척이나 선생님께

부러워하는 점이에요.

저도 크면, 선생님처럼 될 수 있을까요?

아마 저는 모든 건 다 되어도 혼자 사는 건 되지 않을 것 같아요.

저희 집에서 저보고 수녀원에 가라고 하는데, 저는 막 우기고

있어요. 졸업하자 마자 결혼한다고….

엄마는 제가 선생님이 된다면 아이들만 때릴 거래요.

제가 중학교 때 많이 맞아서, 그에 대한 보복이라나?

하지만 만약 제가 선생님이 된다면, 선생님처럼 되고 싶어요.

항상 상냥하고, 음악, 시, 노래도 들려주고, 상담도 하고….

무엇보다도 키에서 선생님과 같을 것 같아요.

물론 몸매는 아니지만….

아! 내일 모레가 '스승의 날'인데, 선생님 옛 제자들이

많이 찾아오겠지요? 선물과 꽃도 잔뜩 사가지고….

저는 요즘 지금 사정이 딸려서 돈 드는 선물은 못해 드리고,

어색하고 글씨도 엉망이지만, 편지 한 번 써 보았어요.

선생님, 마음에 드셨으면 좋겠네요.

(밤에 써서 그런지 많이 틀려요.)

마지막으로 (응? 웬 마지막?) 시 한 편 들려 드릴까 해요.

재미있는 시는 아니지만, 제목이 맘에 들어서 읽어 봤는데,

내용이 좋더라구요.

선생님도 좋아 했음 좋겠어요.

OO 선생님께

안녕하세요? 저 OO이랍니다.

3-5반 OO와 함께 음악을 들으며, 춤을 추었던 아이랍니다.

일단 편지지 이쁘죠? 반짝(x 100)거려요.

근데 반짝거리는 게 손에 붙어서 고생입니다. -_-;;

제가 이 편지지를 고른 이유는요.

저번에 등교길에 선생님께서 낙엽을 주우시는 걸 보았어요.

그래서 문득 낙엽 그려져 있는 편지지가 없나 찾아봤더니

반짝거리는 낙엽이 있더군요.

이제 가을이 지나고, 겨울의 시작 12월이 왔습니다.

추운데요, 감기 조심하시고, 항상 건강하셔야 합니다.

제가 졸업을 해서, 또 하나의 시작을 맞이해서도

선생님을 잊지 못할 겁니다.

항상 제자들을 사랑하시는 착한 마음씨,

변하시지 않았으면 합니다.

어디에서나 국어를 배울 때 선생님을 생각할 거구요.

앞으로 남은 선생님과의 소중한 시간,

그리고 또 만들어 나갈 추억,

좋은 추억이 됐음 합니다.

그럼 이만 줄입니다.

－ 선생님의 제자, OO올림－

선생님.

지금 창 밖엔 비가 주룩주룩 내리거든요.

끊임없이 빗속에 푹 빠져 버리고 싶구요…

선생님!

지금 기분이 묘한 거 있죠.

꼭 선생님께서 떠나실 거 같은…

지금까진 그런 생각해 본 적은 없었는데,

지금은 그런 느낌이 자꾸 드네요. 사람은 언젠가는 헤어지겠지만

이 가을엔 되도록 이별이라는 거 하구 싶지 않거든요.…

전 가을이거든요. 가을아이. 秋兒

가을의 모든 걸 사랑하는 아이요.

푸근한 마음을 갖고 싶어서, 애를 쓰는 작은 아이요.

고독, 외로움, 쓸쓸함까지도

기쁨과 더불어 수용하고 싶어요.

선생님의 모든 것,

사랑스럽거든요. 좋구요.

저희들 기분을 너무 잘 아시는 선생님.

잊고 싶지 않아요.

마지막으로 드리고 싶은 말,

사랑합니다!

사랑하고 싶어 지는 선생님께

시간이 흘러 어느덧 1학년 여름방학이 시작되었어요.

선생님을 알게 된 것은 처음 국어 시간.

뜻밖이었어요. 남선생님이라고 생각했었거든요.

선생님께 펜을 들어보니 조금 떨려요.

국어, 작문 시간에 항상 뒤 좌석에 앉아, 말썽만 피우던 제자가

이렇게 선생님께 글을 써보니 조금……

고 1년은 그다지 즐겁지 않았어요. 그러나 선생님 시간에는 정말

즐겁고, 재미 있었거든요. 가끔 국어 시간에 졸기도 했지만……

학교 다니기도 좋아하지 않지만, 저는 방학도 싫어요.

저는 선생님과 무척 가까워지고 싶었어요. 하지만 시간이

그렇게 주어지질 못했던 것 같아요.

2학기 때는 좀더 선생님과 재미 있는 이야기를 나누며

시간을 보내고 싶어요. 제가 선생님을 잊지 못할 거처럼

선생님도 저를 잊으면 안 돼요.

방학 동안 선생님이 보고 싶어 지면 어떻게 하죠?

방학 때 종종 흰 백지 위에 선생님을 생각하며

글을 띄우고 싶어 질 것 같아요.

그럼 선생님, 이만 줄일게요.

제자 OO를 사랑해 주실 거죠!

OOO 선생님께

안녕하세요? 저 OO예요, 아시죠? 1학년 때 1반이었던 OOO예요.
날씨가 화창하죠? 지금은 저 2학년 8반이에요, 또 8번이고요.
그동안 밥을 잘 안 먹어서 그런지 키가 안 컸어요.
1학년 때 21번이었던 제가 8번으로 갈 줄 누가 알았겠어요?
지금 학교 생활 무척 즐겁고 좋아요. 공부도 열심히 하고 있고요.
부모님 말씀, 선생님 말씀 잘 듣는 학생이 되고 있어요. 저도
이젠 철이 들었나 봐요, 그렇죠?
저희 반 교실은 재작년부터 꼴등만 해왔던 반이었다는데, 요번에
과연 어떻게 될지 궁금해요. 근데요. 요번 저희 반은 뭔가가
느껴져요. 한 마디로 가장 협동심이 강한 반이 될 거 같아요.
저희 반 애들은 무척 공부에 열중하고 있어요. 저도 열심히
공부하고요. 2학년 들어와서 달라진 점은, 선생님들께서
무척 엄격하시다는 것과 균형 잡혀 있는 자율학습 시간
(→ 이 뜻은요, 무척 조용해졌다는 거예요~~)
숙제는 산더미, 쪽지시험은 거의 맨날 있구요~ 2학년 들어오니깐
① 나이답게 행동해야죠
② 선배다운 아름다운 모습 보여줘야죠(후배들에게)
③ 한 학년 올라왔으니깐 스스로 알아서 공부해야죠.
　 그 뿐만 아니라 성적도 많이 향상시켜야겠죠!!
우와~~ 정말 달라진 게 많죠, 선생님~

선생님과 얼굴 마주친 적이 거의 없네요. 왜냐구요?

저희 교실은 5층, 선생님 상담실은 4층~

선생님. 여전히 지금도 1학년 가르치고 계세요? 1학년 애들

말 안 듣죠? 저희도 선생님 속을 짓누겼잖아요 (→ 이 뜻은요,

'말썽 많이 피웠죠!') 그때는 정말 죄송했어요, 선생님.

선생님의 아름다운 목소리와, 웃음소리 듣고 싶어요.

한 마디로 수업 받고 싶어요, 선생님께.

내년에는요, 꼭 3학년 가르쳐 주세요.

선생님, 몸 건강히, 안녕히 계세요.

　　　　　-선생님의 제자, OO 올림-

p.s. 선생님, 사랑해요~~~~

우와~~ 정말 달라진게 많죠 선생님~

선생님께

오늘은 비가 계속 와요!

왜 이리 속상한지~~! 비 때문일까요?

비 때문은 아닌 것 같아요. 전 그리 문학소녀두 아니니깐요..

전에는 비 오는 게 너무 싫더니, 오늘은 비를 느끼고 싶어요.

어쩔 땐 선생님이 너무 부러워요.

선생님 사는 모습이 너무 즐겁고, 행복하게 보이걸랑요~~

선생님이 웃으시며, 노래를 부르시는 모습도

저의 눈에는 슬프게 보여요. 제가 아마 슬퍼서 그런 것 같아요.

선생님, 항상 건강하세요.

아마, 아니 꼭, 제가 크더라도

언제나 잊혀 지지 않을 거예요, 선생님의 모든 모습이.

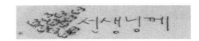

선생님께

지금은 ○○이가 책을 읽고 있어요. 수업 시간에 편지 쓴다고,

꾸중하진 마세요. 그냥 9月의 첫 날, 첫 수업 시간에 선생님

시간이 있다는 느낌이 좋아서, 금세 잊어버릴까봐 쓰는 거예요.

엽서의 앞 그림이 예쁘지 않아요? 전 무척 맘에 들어서 2장을

샀어요. 선생님도 좋아하실 것 같아서, 1년쯤 보관하던 것인데,

선생님께 드립니다. 엽서 모으기도 제 취미 중 하나거든요.

그래서 집에 예쁜 엽서가 많아요.

그런데 속상한 것은, 제가 너무나 좋아하는 어떤 엽서의

예쁜 그림이, 일본의 팬시 캐릭터라는 거예요.

우리 나라에서도 그런 그림을 많이 그리면 좋을 것 같다는

생각이 종종 들곤 해요.

어휴! 말이 너무 길어졌네…. 이만 pen을 놓겠습니다.

To. 선생님께

선생님, 안녕하세요. 저는 OOO예요.

오늘 네 잎 클로버를 찾아보았어요. 그런데 3개나 찾았어요.

거기에서 하나를 잃어버렸어요. 그래서 조금 슬펐어요.

선생님께 두 개의 네 잎 클로버를 드릴게요.

선생님의 앞길에 행운이 가득 넘쳤으면 해서 드리는 것이에요.

전 행운아인 것 같아요.

중학교 마지막 3학년에 선생님을 만난 것,

정말 행운이라고 생각해요.

선생님이 가신다고 하니까 슬퍼요. 안 가셨으면 하는데……

칠판에, 오늘 칠판에요. 꽃이, 이렇게

생긴 것, OO가 그린 것이에요.

좀 이상하게 그렸을 거예요.

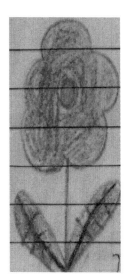

선생님, 사랑하고요.

저희가 없는 곳에서도, 편안히 사세요.

(말이 좀 이상한 것 같다)

I Love You.

OO 올림.

To. OOO 선생님께

선생님, 이 편지를 어제 집에서 쓸려고 했는데, 깜빡해서

그냥 잤어요. 그래서 지금 체육 자율학습 시간에 씁니다.

지금은 아주 조용해요. 이제 친구들이 침묵을 배우나 봐요.

선생님, 우리 학교에서 내 맘에 너무 드는 나무를 발견했어요.

제 자리에서 잘 보이는 소나무인데, 정말 얼마나 이쁜지 몰라요

(제 눈에만 그럴지도 모르지만). 수업 시간에도, 자율학습

시간에도 그 나무를 보려고, 창가로 눈이 쏠려요. 그래서

걱정이에요. 수업시간에 다른 생각해서 성적이 나쁠지 말이에요.

선생님과 우리들은 딱 1주일의 사랑을 느꼈어요.

1주일 동안, 선생님이 얼마나 좋아졌나 몰라요.

입학식날 선생님께서 저에게 눈길도 많이 주셔서,

그것도 너무 기분이 좋았고요. 그런데 벌써 이별이라니요?

이별이라 표현하니 조금 이상한데요. 선생님을 수업 시간에는

볼 수 있겠지요?.

선생님. 쉬는 시간에도, 점심시간에도, 저녁 시간에도

저희 O반 자주 찾아와 주세요.

이젠 담임선생님이 아니라고, 발길을 끊지 마시고요.

선생님, 이젠 그만 쓸게요. 안녕히 계세요.

몸 건강하세요.

OOO 올림.

사과선생님께

파란 색의 의미를 아세요?

파란색은 좋아하는 사람에게 편지 쓸 때 사용하는 거예요.

녹색은 사랑하는 사람에게 쓰는 건데, 아직은 좋아하는

감정이라서 이렇게 파란 실로 수를 놓을게요.

언젠가 녹색 펜을 들 때가 있겠지요.

선생님, 저도 사과를 굉장히 좋아해요.

선생님 얼굴은 마치 사과 같아요. 그래서 선생님을 볼 때마다

사과가 먹고 싶어져요.

전 편지 쓰는 걸 좋아해요.

그래서 이렇게 편지를 쓰기로 결심한 거예요.

선생님, 저의 꿈은 선교사가 되는 거예요.

될 수 있을지는 모르지만, 제게 주어진 위치에서 최선을 다하면

될 수 있을 것 같아요.

정말 꿈이 아닌 현실이 되었으면 좋겠어요.

힘들다는 것도 잘 알아요. 저는 제 신앙에 확신이 있거든요.

선생님은 종교가 있으세요?

선생님이 O반 담임을 그만 하신다고 하셨을 때,

제 친구 OO이가 울었어요. 저도 마음이 아팠어요.

선생님,

몸이 많이 안 좋으신데, 항상 수업시간에는 명랑한 목소리로

저희들을 가르쳐 주서서, 정말 감사해요.

그리구 점심 때 꼭 점심 드세요. 밥을 먹어야 힘도 내고 그러죠.

꼭! 꼭! 드셔야 해요.

저는 친구들이 조금 많아요. 각기 개성은 다르지만,

친구마다 배울 점도 있고, 느끼는 것도 많아요.

비록 학교는 골고루 가서 헤어진 친구들도 많지만,

편지도 주고받으면서, 즐겁게 지내요.

항상 생각하는 사람이, 저도 되고 싶어요.

말하기 전에도 행동하기 전에도 공부할 때에도,

그런 면에서 선생님에게 저는 얻은 게 있다고, 확신할 수 있어요.

그리구 앞으로도 더 많은 것을 얻을 수 있을 것 같아서 좋아요.

선생님!

전 제 자신을 '항상 밝게, 이쁘게 살려고 노력하는 아이'라고

하고 싶어요. 아주 평범하구요.

개성이 있는 선생님의 수업을 좋아할 수 있을 것 같아요.

p.s. 선생님께서 아프지 않게 해 달라고, 꼭 기도 드릴게요.

　　　그래서 언젠가는 담임을 다시 해도 힘들지 않을 만큼이요.

　　　전 그림에 소질이 없어서, 편지지가 이상하지만

　　　제가 했다는 것에 의미를 두고 싶어요.

OOO 올림.

선생님께.

선생님, 그동안 참 힘드셨지요?

제가 별로 도와드리지 못해서, 정말 죄송해요.

선생님, 이제 학교에 못 나오시게 되었다구요. 전 그 말을 듣고는

너무나 슬퍼서, 눈물이 막 나오려고 했어요.

하지만 영영 안 나오시는 게 아니라, 조금 쉬었다가

다시 나오신다니까 저는 안심이에요.

저는 그때까지 선생님을 생각하며, 잘 지낼게요.

다시 만날 때는, 예전에 제가 선생님을 업었지만,

선생님께서 저를 업어주세요. 아셨죠?

선생님.

그럼 편안하고, 또 걱정도 하지 마시고 잘 지내세요.

그리고 다 나으시면 다시 꼭 오셔야 해요. 제가 기다리고,

또 선생님이 사랑하시는 모든 제자들이 기다리고 있으니까요.

그럼 선생님 다시 만날 때까지 몸 건강하게 지내세요.

그리고 마음도 꿋꿋하게 가지시고요.

마지막으로 선생님,

사랑해요.

＿ 선생님의 용감한 제자, OO올림.

다시 만날 때는   예전에 제가 선생님을   업었지만
선생님께서   저를   업어 주세요,   아셨죠?

To. 사과처럼 예쁜 국어선생님께.

안녕하세요? 선생님. 요즘 건강은 어떠신지요.

가까이 있으면서도 선생님의 건강에 대해 잘 모르는 제자이지만,
너그러우신 선생님이시기에 용서해 주실 거라 믿어요. 호호호.
지금 정성이 든 편지를 쓰고 있답니다. 글씨는 엉망이지만요.
하지만 전 지금 열심히 노력하고 있어요. 잘 쓸려고요…. 근데
잘 안 써지네요. 이런 일이 있을 수가….

전에도 말했듯이 전 글솜씨가 형편없어서, 재미있게 쓰지는
못해도, 선생님께선 읽어 주실 거라 믿어요.
이 편지지, 선생님과 분위기가 어울리는 것 같죠?
좀 쓸쓸하면서도, 행복과 희망이 넘치는 것 같은 느낌이
선생님의 분위기와 같은 것 같아요.
선생님의 웃는 모습, 이 편지지와 비교해 봤는데 어떠세요?
아~차… 선생님, 제가 어제 드린 시 어떠셨어요? 선생님 맘에
드셨음 해요. 글씨가 점점…. 이젠 글씨 연습 좀 해야겠어요.
이런 글씨로 선생님께 편지 쓰는 게, 좀 창피하네요.
그럼 글씨 연습 많이 해서 이쁜 글씨가 되면 그때….
기대해 주세요! ~ ♥

                          From. 제자 이쁜이, ○○○ 올림.

p.s. 음악 듣고 쓰니, 맘이 편해 좋아요.
    선생님께서 왜 음악 듣고 하시는지 알 것 같아요.

선생님께.

선생님, 1년 동안 정말 감사해요.

가끔 선생님께서 다른 아이와 얘기하고 그러면,

화가 나곤 했어요.

왜냐구요? 선생님이 너무 좋으니까요.

다른 아이들과는 말도 안 했으면 좋겠다는, 생각이 들었어요.

저 참 어리지요?

어쩌면 이기주의자인지도 모르겠어요.

선생님께서 1년 동안 힘들어하시는 걸 볼 때마다

열심히 도와드리지 못한 것 죄송해요.

사람이란 참 우습죠.

꼭 지나간 후에 후회하는 게 말이에요.

전 올 1년 동안 선생님 덕분에 많이 여자다워졌어요.

아니, 여자가 아니라 소녀다워졌다고 할까요?

참 많은 생각도 하게 됐구요.

선생님. 언제나 건강하시고, 행복하세요.

그럼 안녕히 계세요.

사과선생님을 좋아하는
OO 올림.

사과선생님께

진짜 방학날을 맞이하여, 선생님께 이 글을 띄웁니다.

1학기 내내 정말 힘드셨죠? 방학 동안 푹 쉬셔서 많이 많이
건강해지세요. 그래서 말 안 듣고 공부 안 하는 아이들은
좀 두들겨도 주시고, 벌도 많이 주세요.

선생님! 약속할게요. 2학기에는 열심히 공부하고 숙제도 잘하고,
책도 많이 읽고 등 등 등.

1학기 동안 너무 게을러서 성적도 엉망이고 말이 아니거든요.

누구에게라도, 이런 맹세라도 해 놓아야 결심이 굳어질 것
같아서 선생님께 약속을 드리는 거예요.

오늘 기쁜 날인데 날씨가 별로 좋지 않아서 좀 그런데요.

하여튼 좋은 날인 것은 확실해요. 그렇죠?

참! 선생님께선 아니시겠군요. 강냉이를 못 잡수시니 말이에요.

제 편지가 위로가 되었으면 좋겠는데……

선생님 방학 동안 무슨 계획 있으세요? 전 그냥 집안에서 부채나
들고 책도 읽어가며, 조용히 보내기로 했어요.

선생님, 그럼 후반기 보충수업 때나 다시 만날 수 있겠군요.

그럼 그때 다시 뵙겠어요.

선생님 건강해지신 모습, 기대해도 되겠지요?

안녕히 계실 거지요?

-좋은 날, 선생님의 OO 올립니다-

OOO 선생님께—

비를 좋아하는 소녀(양OO)의 자작시

그대가 가신다니
기분이 우울해지네요
잠들었던 고요한 마음이
파도처럼 출렁거리네요
　　당신에게 조그마한 사랑을 느꼈지만
　　지금은
　　아주 많은 사랑을 할 걸
　　후회합니다.
하지만 이젠 후회하지 않으렵니다
왜냐하면 당신이 어디 가든지
당신을 위해
기도드릴 거니까요.

*선생님, 언제나 저의 마음에,
선생님이 사랑하신 만큼의 모습이 자리잡고 있을 테니까요.
저도 그만큼 누구에게 사랑을 베풀고 싶어요.
선생님, 몸 건강하세요.

Dear OOO 선생님께

따사로운 해님이 심술을 부려 뜨거운 여름이 되어, 아이들의
활기를 빼앗아가 버리는 어느 한 여름, 선선한 바람이 불 때
펜을 들어봤어요.

선생님! 안녕하세요. O반의 재롱이 OO입니다.

OO이는 오늘 백일장에 참가하여, 최선을 다 하고 돌아왔답니다.
비록 상을 못 받는다 해도, 스스로 칭찬했기에 만족합니다.
사회인이 되어서는 경험하기 힘든 일이 될, 글짓기를 했다는
것부터 전 행복합니다. 나갈 수 있었던 행운권이 나에게 주어질
줄이야. 처음엔 못 쓴다고 생각했지만 끝내, '못써도 너를 인정해
주는 이가 있다'는 것이 얼마나 행복한 일이냐 라는 생각으로
결론을 내렸답니다.

잣나무 그늘 아래에서, 상쾌한 공기와 맑은 새소리가 한층 더
시원하게 해주었어요. 우선은 선생님! 좋은 경험이 되었어요.
"고맙습니다" 라고 선생님께 말하고 싶습니다.

전 선생님의 풍부한 아이디어가 좋아요.

글을 못 쓰지만 쓰려고 노력하고 또 재미있어 하고, 그리는 것은
못하지만 흉내라도 내려고 할 때, 선생님께서는 제게 좋은
선물을 선사해 주셨어요.

선생님께선 벗을 사랑할 수 있게 도와주셨고, 제가 받기엔
반 친구들에게 미안한 상을 주셨습니다.

그런데, OO이는 국어 시험을 못 본답니다. 하려곤 하지만
마음대로는 되지 않고, 내 답은 정답 사이로 피해만 다녀
속이 상해요. 하긴 집에서 책을 읽지 않는 탓도 있을 거예요.
저희 집은 시끄러워서, 또 손님이 있어서 책 읽을 여유가
주어지지 않아요. 핑계일지도 몰라요. 그러나, 숙제도 제대로
하려면 새벽 3시까지는 잠 안 자고 버텨야 한 걸요.
지금도 2시가 다 되어가고 있어요.
내일 숙제가 없어 한가하기에 펜을 들었더니 끝이 없어요.
선생님과 더 많은 얘기를 나누고 싶은데…
에이 그냥 계속 할게요.
전 말하는 것을 좋아하는 데, 잘 들어주질 않아요.
선생님, 말하기 싫다고 방문 닫지 마시고, 따사로운 햇살을 보고
시원한 바람을 쐬러 아무 그늘이라도 앉아서 저희 반 친구들
얼굴과 이름이라도 외워보세요. 상쾌한 하루가 되실 거예요.
우리반 친구들의 얼굴과 이름은 꼭 다 외우시길 바랍니다.
선생님께서 이름을 모르실 때처럼 화가 나는 일은 없으니까요.
(저번에 저도 어떤 선생님이 제 이름을 모르셔서
약간 화가 났었답니다).
선생님! 즐거운 주말 되세요!
외계인이 별나라에 다녀와서,
선생님을 그리며, 다시 꿈나라로 간답니다.

To 국어선생님께

선생님! 안녕하세요? 짧은 편지지만, 그래두 눈이 내려서,

낭만적인 생각이 들어서, 선생님께 이렇게 편지를 쓰고 있어요.

비록 밖에 나가서 눈을 보지는 못하지만…

멋있는 음악 소리와, 눈이 오는 것을 창 너머로 보니, 참 좋아요.

선생님, 눈송이처럼 마음을 하얗게 가진 선생님이, 참 좋아요.

선생님! 밖에 나갔던 아이들이 들어왔어요.

다음에 시간 나면, 다시 또 편지 쓸게요. 안녕히 계세요. Bye!

 p.s. 선생님 제 이름을 안 밝혔어요.

제 이름은 1학년 O반 김OO이에요. 꼭 기억해주세요.

To. 선생님께

선생님, 안녕하세요? 저 선생님 말씀 잘 듣지도 않고, 말썽만

부렸던 OOO예요. 이렇게 편지 쓰니까 쑥스럽네요.

선생님께 좋은 모습 보여 드리지도 못하고, 정말 죄송해요.

너무 섭섭해요, 선생님 가시는 거…… 이제 친해지려고 하니까

이렇게 헤어지네요. 우리반 아이들도 모두 섭섭한

마음뿐이에요. 선생님이 그러셨잖아요,

"맑은 눈을 뜨는 습관을 갖자" 라고. 저도 그런 습관을

가지려고 노력 중이에요. 눈이 매섭다는 말을 많이 듣거든요.
언제나 좋은 말씀과, 잘못했을 때 토닥거리던 선생님의 모습은
저희들의 맘 속에 남아있을 거예요. 선생님, 잊지 않을게요.
건강하시고, 언제나 웃음 잃지 마세요.

　　　　　　From. 착한 제자가 되고픈 OO올림.

p.s. 마지막으로, 사랑해요.

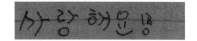

Dear 선생님.

선생님! 항상 제가 꼬부린다구 생각하시죠? 저두 그래서 많이
고치려구 해요. 근데 오늘은 정말 종아리 쪽에 있는 뼈가 아파서
그랬어요. 믿어주세요.
제가 선생님한테 배울 점은… 아주 많은 것 같아요. 반성하는
자세두 배워야 할 것 같구, 자기 멋대루 행동하는 것을 삼가하는
것두 배워야 되구… 제가 너무 부족한 점이 많은 것 같아요.
이제 얼마 남지 않았지만, 그동안이라도 공부 열씨미하구
선생님 말씀두 잘 들을게요. 약속해요…

　　　　　-선생님의 좋은 말을 많이 듣는 행운아인, OO 올림.

P.S. 항상 모자란 저를, 따뜻한 마음으로 보살펴 주셔서,

　　　고맙습니다.

존경하는 OOO 선생님께

선생님, 안녕하세요? 저 OO예요.

벌써 첫눈이 내리고, 12월 24일이란 긴 시간이 지나왔어요.

그동안 선생님께 배운 것들…… 잊지 않고 있어요.

가끔 실수도 하고, 서투른 저에게

선생님의 시간을 투자하여 주시고, 많은 노력을 해 주셔서

제가 많이 성숙해진 것 같아요.

국어 3분 발표를 하면서 자신감도 많이 갖고,

남 앞에서 말을 해보는 경험도 쌓고,,,,,

생각하면 선생님께 배운 것이 많은 것 같아요.

선생님의 노력에는 새 발의 피도 안되지만……

컴퓨터를 하면서 도와드릴 수 있어, 마음이 참 좋았어요, ^^

선생님께서 선물[1]을 주셨을 때, 제대로 못해가면

제 마음이 참 불편했는데…

늘 실수만 한 것 같아 죄송해요… ^^

앞으로 선생님 마음 속에 남는 제자가 되고 싶네요.

내일 크리스마스 잘 보내시고요. ^^

건강 주의하시길 바랄게요.

그럼 이만 줄이겠습니다.

---

[1] '과제'를 일컫는 말. '과제는 선물이다'라는 은유적인 비유를 통해, 수업 중 사용됨.

선생님.

저희 선생님께서는 남자선생님이세요. 그래서 좋은 점도 있지만,

저의 속 마음을 자연스럽게 보여 드리기가 힘들어요.

선생님, 이럴 때 선생님 찾아가도 되죠?

그런데 한 가지 걱정이 또 있네요.

선생님, 3층 상담실에 계신다면서요. 전 남자를 좀 싫어하거나

두려워하는 아이예요. 그래서 잘 갈 수 없을 것도 같아요.

제가 O고를 온 이유 중 가장 좋았던 것이, 집이 가깝다는

이유였지만, 가장 싫은 것은 남녀 공학이라는 점이 제일 싫어요.

선생님은 이런 제 마음 이해하실 수 있으세요?

그래서 매점, 화장실 등 여러 곳을 가기가 싫습니다.

이것도 하나의 큰 병이 될 수도 있죠?

선생님, 어떡하죠?

선생님께도 잘 가고 싶지만 잘 갈 수 있을지 모르겠어요.

바로 우리 반 옆 반이 상담실이었으면 하고 생각해요.

선생님, 너무 지루하셨나요? 제 편지가 너무 시시하나요?

이런 편지 끝까지 봐 주신 것, 감사합니다.

선생님, 이만 줄일게요.

1학년 9반, OOO 올림

추신: 선생님과 보충수업 시간에도 만나게 되어서 기쁘구요.

못생겼지만 사진 간직해 주세요.

OOO 선생님께

선생님. 매일 보는 얼굴이지만 지금 이 시각에 선생님의 깊은 눈망울이 생각나서 이렇게 펜을 들어봅니다. 전 한지로 편지 써 보기 처음인데, 마음에 드시는지 모르겠네요.

선생님! 지금 시각은 12시 25분 37초예요.

과학을 공부하고 나니, 그렇게 많이 갔지 뭐예요. 속상해요.

다른 것들도 해야 하는데…. 근데 잠 안 자고 버틴 것.

어떤 것 때문인지 아세요? 선생님께서 하신 말씀, "나도 할 수 있다" 라는 것 때문이에요. 선생님, 고맙습니다. 아, 참! 선생님, 오늘 작문 시간에 조금 졸았어요. 굉장히 죄송합니다.

오늘 자율학습 시간에 지영이가 나보고 머리가 지저분하대요. 화는 굉장히 났지만 사실인데요 뭐. 부인할 필요는 없겠지요. 우리반 요즘 자율학습 굉장히 잘 해요, 저와 O연이 O윤, O정, O영이 모두 노력해요. 노력이란 건, 참 좋죠?

전 미화부장이 됐는데 우리 학급 미화에 신경을 써야겠어요. 계획은 했는데 어떨는지…. 선생님께서 시간 나시면 오세요. 그리고 좀 도와주세요.

와~! 지금 1시를 향해 시계 바늘이 가고 있어요.

아~ 함! 졸려라.

선생님의 제자 OO올림.

P.S. 선생님! I love you.

To. 사과 선생님.

선생님, 안녕하세요.

저는 선생님을 존경하는 1의 3, OOO입니다.

백일장을 5월 달에 한다고 해서 소풍 다음날 찾아 뵐려고
했는데, 찾아 뵙지도 못하고 나가게 되었습니다. 결과가 어떻든
간에 제가 열심히 노력했다는 것은 선생님도 아시죠?

앞으로도 열심히 노력하는 OO가 되겠어요.

사과 선생님, 열심히 노력하는 OO를 지켜봐 주실 거죠?

저도 국어시간, 선생님의 열중인 모습에 취해
열심히 해보겠습니다.

- From. 사과선생님의 제자, OO.

사과

사과는 우리의 친구.

우리 선생님처럼 탐스럽게 빛이 나는

우리의 소중한 친구.

언제나 우릴 찾아와 기쁘게 해주는 친구

언제나 싱그러운 웃음으로 기쁨을 주는 친구

새콤달콤, 여러 가지 성격을 가진

나의 소중한 친구.

선생님, 안녕하세요?

저는 OOO입니다. 제가 처음에는 친구들에게도

말을 잘 못 거는 편이어서, 초등학교 6학년 담임선생님 덕분에

많이 나아졌었는데, 또 새로운 곳에 오니 떨리네요

저는 입학식 때부터 국어선생님이, 많이 끌렸어요! 사실 처음

교실 들어오실 때 무섭다 생각했는데, 선생님 말씀 듣고 있으니,

배울 것이 많은 선생님 같아서, 선생님이 더 좋아졌어요.

그리고 저는 한 번 친해지면, 말이 많아지는데, 선생님과 친해져

보고 싶어요.

흠… 제 첫 중학교 국어 시간은 재미있어질 거 같네요.

선생님께 배울 내용이 많을 거 같은데, 제 머리가 버틸 수

있을지… 그래도 최선을 다해서 배워보겠습니다.

그리고 제가 시 읽는 것도 좋아하는데, 시 쓰는 것도 좋아해요.

아! 아까부터 생각하고 있었는데, 선생님 목소리가 진짜

좋으세요. 목소리가 어디서 들어본 듯한 목소리인데, 또 들어본

적 없는 목소리고, 목소리가 아름답다는 걸로 써야하나 봐요.

선생님을 더 알아가고 싶네요. 선생님과 많이 친해지고도

싶고요. 이렇게 글로는 말이 많은데, 실제로 만나면 한 마디도 못

하는, 낯을 많이 가리는 성격입니다. 그래도 친해지면 엄청

시끄러워지고요. 음… 여기서 마치겠습니다.

다음 수업 때 봬요~

눈부시게 해맑은 OOO 선생님께

안녕하셨어요? OO예요. 오늘도 하루 종일 비가 오고 있어요.
비를 좋아하는 저는 여느 날과 마찬가지로 비를 맞아보았어요.
기분이 엄청 좋아지더라구요. 아침에는 학교를 가던 길에 비가
쏟아지는 거예요. 왕창 다 젖어 버렸지만 왠지 개운했어요.
그리고 혹시 하느님 선물이 아닌가 생각했어요.
오늘이 제 생일이었거든요. 음력 1월 29일.
축하해주실 거죠? 그런데 선생님은 언제세요? 궁금해요.
며칠 전에는 봄방학을 맞아 시골에 다녀왔어요. 할아버지
할머니도 뵈었고, 가서 보름도 지냈는데요. 역시 도시보단
시골이 낫더라고요. 시골 밤의 보름달은 너무나 환했거든요.
전 산책을 하고 싶어 나갔어요. 밤이라 무서웠지만 나를 환히
비쳐주는 달이 너무 좋았어요. 선생님도 달 좋아하세요?
봄방학날 반 편성을 했는데 또 O반이 되어버렸어요.
O라는 숫자가 친숙하긴 했지만, 친구들과 헤어지게 되어
슬펐어요. 전학을 온 제게 모두 잘해주었는데……
어쩌지 못해 울고 있는 절 보고 친구들이 바보래요.
선생님은 어릴 적에 안 그러셨어요? 벌써 2학년이란 게 믿기지
않아요. 신입생이란 것도 별로 느껴보지 못한 거 같은데요.
아직 키도 작고,
마음은 1학년인데……

안녕하세요?

전 OOO라는 학생입니다.

선생님을 처음 뵈었을 때, 제 느낌을 말씀드린다면,
'눈은 마음의 창'이라고 하는데, 선생님의 맑은 눈과
낭랑한 목소리와 아름다운 노랫소리, 차분한 말씨 모든 면이
절 감동케 하였습니다.

처음에 입학하고 친구들과 선생님 모두가 낯설었지만, 이제는
조금 나아져 갑니다. 다른 친구들도 그런지 모르지만,
전 이 OOO학교가 좋고 자랑스럽습니다.

단순히 남녀공학이라거나 매점이 가까워서가 아니라. 제가 오고
싶었던 학교이고, 중학교 다닐 때 늘 다니던 길이기에 더욱
정겹고 친근감이 듭니다. 그리고 이젠 다른 사람 아닌 내가 3년
동안 몸담고 사랑하며 다녀야 할, 저의 모교가 될 테니까요.

저의 꿈은 많습니다.

고등학교 교사, 간호사, 현모양처…

그러나 지금은 단 한 가지, 대학교에서 유아교육을 전공하여
유치원 선생님이 되는 것입니다. 제 성격이 조금 내성적이라
걱정도 되지만, 순진하고 맑은 눈동자를 가진 예쁜 아이들을
가르친다면, 정말 즐겁게 잘 가르칠 거란 자신감이 생깁니다.

전 이렇게 작고 소박한 꿈이 단순한 꿈이 아니라, 내 눈앞에
현실로 될 수 있도록 열심히 노력할 것입니다.

항상 고맙다는 말을 많이 하시는, 마음이 곱고 겸손하신

선생님께서 저의 국어선생님이 되셔서 기쁘고,

마지막으로 하고 싶은 한 마디는

"감사합니다."

국어선생님께

선생님,

저는 1학년 O반의 야구부 OOO입니다.

목요일에 숙제를 해오지 않아서 점심시간에 벌을 서면서

반성을 많이 했습니다. 그리고 금요일날 1학년 4반 OO가

공책을 다 쓰고 선생님께 (새 공책[2]을) 받았다고 말을 할 때

저는 굉장히 부끄러웠습니다.

저는 매일 운동을 한다고 하면서 핑계 대고,

숙제도 해오지 않았습니다.

다음부터는 남 못지않게 운동도 열심히 하고,

국어공부도 열심히 하겠습니다.

---

[2] 공책을 다 쓰면, 상으로 새 공책을 받게 됨.

선생님께

제가 오늘 선생님을 기쁘게, 반 친구들에게 기쁨을 주었는지 모르겠군요. 별로 준비하지는 못했지만 최선을 다했습니다.

선생님께서 예쁜 엽서와 예쁜 선물을 주셔서

얼마나 감사한지 모르겠습니다.

선생님의 건강을 항상 안쓰러워하는 친구들이 많습니다. 지금은 건강이 어떠신지 모르지만, 앞으로는 더욱 더 건강하세요.

사람은 건강이 최고라고 하지 않습니까?

제가 최선을 다하는 OO이가 되겠다고 한 것을, 어떻게

아셨는지 모르겠어요. 오늘 너무너무 기뻤습니다.

국어시간이 마지막이지만, 2학년 올라가서도 같이 공부하며

이야기할 수 있으면 좋겠네요. 전 노력하겠습니다.

전 고민을 참 많이 합니다. 이젠 방황도 고민도 없습니다.

요즘은 세상이 아름답다는 것을 피부로 느끼고,

생각으로 와서 기뻐요. 사랑하는 친구, 사랑하는 엄마, 사랑하는

선생님, 사랑하는 나의 형제 모두가 소중하고 아름답습니다.

선생님의 가냘픈 목소리를 이젠 들을 수가 거의 없겠군요.

하지만 결코 '영원히'는 아닙니다. 또 다시 선생님과 제가 만나면

웃으면서 서로 정을 나누었으면 합니다.

제 의견에 동의하시는지 궁금해요. 건강하세요.

OOO 올림.

선생님,

1학년 입학할 때는, 급수를 많이 딴다고 말은 많이 했는데,

지금 생각하니 창피하기만 해요.

그리고 9년 동안 이런 국어시간은 처음이에요.

자기 생각, 시 발표…

다정하신 국어선생님을 만나 본 것도 처음이에요.

2학년이 되어도 선생님께서 국어를 맡으시면 좋겠어요.

1학년 동안 발표도 잘 안 하고, 대답도 못한 것이 좀 아쉽지만

2학년이 되면 좀더 잘해볼 생각이에요

친구들 소개 쓰기, 자기 이름 소개, 정말 재미있었고,

잊혀 지지 않을 거예요. (꼭 떠나는 사람 같네!)

아 참! 선생님께서 주신 노트도 잘 쓰고 있어요. 수업 시간에

노트 받아 보기는 처음이라 좀 받을 땐 어색했지만,

지금 생각하니까, 너무 좋았던 거 같아요. 그리고 선생님께

고민도 털어놓고, 좋은 일도 선생님과 상의하고 싶었는데…

지금도 선생님께 찾아 가면 다정히 받아 주실 거죠?

겨울 방학 동안 친구와 싸워 괴로웠거든요…

그리고 선생님, 체중도 좀 늘리시고, 몸 건강하세요.

그럼 이만.

선생님,

국어시간 즐거웠습니다.   OOO.

OOO 선생님께.

선생님, 안녕하세요? 저는 1-3반, OOO입니다.

선생님께 편지 쓰는 것은, 이 번이 처음이네요.

선생님! 저는 국어를 좋아하긴 하지만, 시험 성적이 그다지

좋지 않고, 발표를 잘 안 하는 소극적인 성격입니다.

저는 매사에 자신이 없고, 부끄럼을 너무 잘 타요.

그래서 걱정이에요.

선생님께서 도와주셨으면 하지만,

학생은 저 혼자만 있는 것도 아니고,

무엇보다 저의 노력이 필요하다는 것도, 잘 알고 있습니다.

앞으로 활동적이도록 노력하겠습니다.

선생님!

저의 단풍잎을 소개할까 합니다. 이 단풍잎은 제가 책 속에

끼워 둔 것인데, 드리고 싶습니다.

또 포장한 것을 풀어 보시고 (마음에 들지는 모르겠지만)

받아주세요.

또 꿀떡을, 저 번에 저희들이 선생님 간식을 뺏은 것 같아

마음이 편치 않았는데, 드시고 기운 내세요.

그럼, 선생님 이만 줄일게요.

안녕히 계세요.

5월 14일, OOO 올림.

저희들을 가르쳐 주신 OOO 선생님께.

선생님,

저희 반에 들어오셨을 때, 전 선생님의 수업 방식에

무척 놀랐습니다. 초등학교 6년과 중학교 1~2년까지,

이런 수업은 처음이었으니깐요.

그치만 왠지 처음부터 선생님이 좋았어요.

점점 1주일, 2주일이 지나면서 선생님의, 저희 O반을 사랑하는

마음을 느꼈어요. 선생님, 그곳에 가셔서, 많은 지식을

그 나라 사람에게 주고 오세요. 그때까지 제가

이 학교를 다니면 좋겠어요.

갑자기 작년 언니들이 부러워졌어요. 선생님과 1년을

수업하고……

전 선생님에 대한 얘기를 작년에 알았어요. 학원을 같이

다니던 3학년 언니가 있었거든요. (혹시 OOO 언니를 아실지…)

얘기를 들으면서, 선생님과 수업을 하고 싶었고, 앞 반이

아니라 뒷 반이 되어서 기뻤어요.

듣던 것보다 많이 좋았어요.

선생님

그곳에 가셔서 저희들 잊지 마시구요. 많이 생각해주세요.

선생님, 사랑해요!

OOO 올림

안녕하세요?

저는 OOO입니다.

호기심도 많고, 하고 싶은 것도 많은 아이입니다.

제가 좋아하는 과목은 국어, 영어, 체육인데요. 작년 OOO중
언니들에게서, 선생님들도 착하시고 재미있는 수업으로
지루하지 않은 학교라는 말을 듣고, 이 학교에 지원하였는데요.
특히 OOO 선생님의 국어 수업이 재밌고, 새롭다고 하여,
꼭 1학년 국어 선생님이시길 바랐는데, 저희 반을 담당해 주셔서
앞으로의 국어수업이 너무 기대가 되어요!!

저의 취미는 노래감상과 댄스인데
선생님의 취미나 좋아하는 활동은 무엇인가요?

오늘 저희 반이 선생님께 별로 좋지 않은 첫인상을 남긴 것 같아
조금 아쉬운데요. 그래도 앞으로 수업을 하시면서,
공부도 잘하고 열정이 남다른 반이라는 거 보여드리겠습니다.

저도 공부 열심히 해서 선생님처럼 좋은 대학 나오고,
박사 학위를 가지고 싶어요.

저는 수업에 충실하고 궁금한 게 많아서 질문도 잘하고,
먼저 나서서 발표를 하는 아이예요.

앞으로 잘 부탁드려요.

감사합니다.

To. 너무나 좋아하는 선생님께.

선생님. 저 O이에요. 선생님께서 제 이름을 아실 지 모르겠지만 제가 이걸[3] 드렸으니깐 아시겠죠? 정말 선생님 가신다는 말을 듣구 눈물이 울컥 나올려구 했어요. 선생님은 기분이 어떠실 지 모르겠네요. 선생님께서는 가르치시는 반도 많고 하니깐, 개인 개인에게 정을 주거나 할 수는 없으시겠지만, 저는 선생님께 배우고 나서 더 자신감도 생기고, 공부하는 것도 재미를 느끼게 됐어요. 물론 수업 시간에 제대로 참여 못한 적도 있지만, 마음은 그게 아니었거든요.

막상 선생님께서 가신다고 하니깐 처음 수업 시간이 생각나요. 그 때는 선생님이 무지 무서운 분이시고, 또 정도 없는 분이실 줄 알았어요. 그런데 수업을 해보고 나서, 선생님을 믿게 되고, 정말 선생님을 존경하게 되었어요.

우선 사진 하나 붙여 드릴게요. 두고두고 보세요. 잠깐만요. 이 사진[4]이에요. 이건 저번에 OO(가운데)이가 카메라를 갖구 와서 자율학습 시간에 나가서 찍은 거예요. 비록 들어가서 담임 선생님께 혼나긴 했지만, 이런 사진이 나왔으니까 혼난 것두 아무렇지 않아요. 선생님이 어디로 가시던지, 이 사진

---

[3] 자신에 대한 신상 목록 파일 첨부.

[4] 다섯 명의 여학생이 교정에서 찍은 사진 첨부.

보면서 저희 생각하세요. 제가 누군지 아시죠?

맨 오른쪽에 있는 애예요. 저두 선생님을 기억할 수 있는

무언가가 있었음 좋겠는데. 사진도 없고…아쉬워요.

다른 선생님들처럼 무조건 혼내시지도 않고, 애들 스스로가

잘못을 인정하고 반성할 줄 아는 자세를 가지게 해 준, 선생님이

바로 선생님이에요. 그래서 더 너무너무 존경하구요. 어디에

가시던지 지금 하신 대로 수업을 하신다면, 존경받으실 수

있으실 거예요. 매일 하루도 빼먹지 않고 들려주신 음악, 정말

기분을 좋게 만들어 주는 음악들이었구요. 저희가 접해보지 못한

노래들도 많이 소개해 주셔서, 너무 감사드려요.

이제 다시는 선생님 목소리 못 듣는다는 생각을 하니깐,

기분이 …. 아마 저희 반 애들 모두가 그럴 거예요. 다들 얼마나

선생님을 좋아하고 존경했는데요. 칠판에 꽃 그리는 것두 서로

하려구 하고…. 선생님 덕분에 애들이 국어에 좀 많은 관심을

가졌던 것 같아요. 그리고 '애너벨리'라는 시도 너무 기억나요.

'포우'라는 사람이 지었다고 하셨죠? 선생님이 가르쳐 주신

덕분에 이런 걸 알게 되니까, 기분도 좋구 그래요. 내일이면

애들이 다 울 것 같네요. 저희는 정말 선생님 존경했어요.

From. 선생님의 영원한 제자가 되고픈 O이가,

아름다우신 국어선생님께.

p.s. 선생님, 사랑해요.

안녕하세요 ^^

○○○입니다.

저는 친화력도 좋고, 꽃같이 활짝 많이 웃고,

무지개처럼 감정의 색도 다양합니다.

저는 통통한 체질이지만, 늘 자신감이 있는 학생입니다.

나서는 것도 좋아하고…

저의 언니가 국어쌤 좋다고, 수업도 재밌고,

잘하면 칭찬도 많이 해 주신다고, 많이 얘기했습니다.

그래서 저는 국어보단 수학이지만,

수학쌤보다 국어쌤이 더 궁금했습니다.

위에서 말했다시피, 감정이 무지개처럼 다양합니다.

평소에는 노, 연, 하, 핑크색들처럼 밝고

화나면 파, 빨, 검, 갈색들로 변합니다.

마음이 편할 땐 초록색으로 변합니다.

빨, 노, 연, 파, 하, 핑, 보, 검, 갈색 등 나올 건 다 나오지만

주황색은 많이 안 나옵니다. 주황색은 제 기준으로, 완전 신날 때

↑MAX↑할 때 나오는 색입니다.

국어 할 때는,

마음의 무지개 안에서 주황색이 나오곤 합니다.

그래서 선생님 시간에는,

정말 열심히 할 것 같습니다.

to. 내가 가장 좋아하는 선생님께.

선생님, 안녕하세요? 저는 1학년 6반, OOO라고 해요.

원래 일요일날 달걀을 주는 것인데, 이렇게 오늘 드립니다.

선생님! 왜 6반을 못 맡으신 거예요?

전 매우 섭섭하기 짝이 없어요.

그 어떤 선생님보다도 전 선생님이 너무 너무 좋아요.

선생님을 자주 볼 수는 없지만, 다행히도 선생님 독서부에 들어
오게 되었어요. 정말 기뻐요.

선생님도 제 이름, 아니 얼굴을 기억해 주시면, 정말 고맙구요.

앞으로 선생님께 편지도 자주 쓸 거예요. 중학교 올라와서 처음
편지를 많이 쓰게 되었는데, 그것이 다 선생님 덕택이에요.

음악과 시를 알려 주신 선생님이 편지에도 관심을 갖게

해 주셨나 봐요.

전 솔직히, 선생님께서 자신감과 용기, 그리고 사랑을

심어줄 때마다 국어만큼은 자신이 있었어요. 그런데 지금은…….

선생님! 전 비록 공부는 못하지만, 착한 마음은 가질 수 있어요.

앞으로 절 지켜보실 거죠? 그럼 이만 펜을 놓으며,

다음에는 좋은 음악과 시를 한 번 선보이겠어요.

안녕히 계세요.

― 제자 OO 올림.

추신: 잘 간직해 주세요.

OOO 선생님께

선생님, 안녕하세요? 저는 OO중을 졸업해, 인천OOO를 2년째

다니고 있는 OOO이라고 해요.

저는 중학교 때 3년 내내 선생님께 국어를 배웠답니다.

지금도 국어 성적이 좋을 수 있는 이유가

바로 선생님 덕분인 것 같아요.

작년에 찾아 뵙지 못해 조금 아쉽지만, 지금이라도 찾아 뵐 수

있어서 다행이네요. 가끔씩 추억이 새록새록 떠오르는데,

그 중 재미있고 보람 있던 기억은, 역시 물음표 수업이죠.

요즘도 물음표를 그리는지 궁금해요.

그때 물음표를 특이하고 예쁘게 그리는 걸 좋아해서

교과서에도 기록하고 칭찬도 받았었는데, 참 좋았어요.

또 이렇게 좋은 선생님께서 가르쳐 주시는데,

조금이라도 공부를 열심히 할 걸, 후회가 되기도 해요.

선생님은 최고의 국어선생님이세요.

선생님을 위해 더 열심히 하는 제자가 될게요!

사랑합니다.

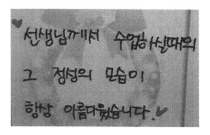

당신은 호박하고 귀여운 도개 같고
당신은 똥뚱한 영혼의 소유자 이십니다.

하지만 당신의 당신의
그 눈 두눈은
항상 빛나고 있습니다.
난 그눈에 매료되었습니다.

당신의 그 눈은 당신의 열정과 사랑이
가득합니다.

당신의 그눈으로 인하여
나의 눈 마음도 밝아집니다.
이제는 당신의 그눈으로 나의 길을
밝혀 주시기를 ……

PS 제가 서툰 솜씨로 지은 시랍니다 영통하고 유치하리라도 이해해
주세요 작은선생님을 생각하여 쓴 자작시 입니다

둘. 선생님은요~

선생님께

당신의 눈은 언제나 맑고 총명합니다.
고1 들어와서 선생님은 저의 인생에 굉장한 힘을 가지신
분입니다. 언제나 반복적인 수업을 피해, 특별한 수업은
우리들에게 삶의 활력소가 됩니다. 매 한 시간, 한 시간
최선을 다하는 선생님은 내적인 美人이십니다.
그리고 수업시간마다 들려주시는 음악, 노래, 시(詩)는
마음의 강퍅함을 깨트려줍니다.
첫 시간 말해주신, "初日心, 最後心"을 지키시려는 모습 또한
아름답습니다.
가장 말하기 편하고 쉬운 상대이기에 더욱 어려우신 분.
이제 당신을 선택적으로 만났으므로
당신의 뜻과 바라는 것에 맞도록 행동하겠습니다.
감사합니다.

스승의 날을 맞아서

To. 국어선생님께

선생님, 저는 3-OO, OOO이라고 합니다.
선생님을 처음 뵌 것 아마 2학년 때쯤으로 기억하고 있습니다.
선생님을 볼 때 친구들은,
"어, 공주병 선생님이시다"라고 뒤에서 말했었던 적이 있습니다.
하지만 지금 선생님에게 배우는 제자가 돼서는,
"아니다. 선생님은 공주병 선생님이 아니시고,
선생님들의 본보기다"라고 깨달았어요.
선생님께서는 언제나 저희 OO반이 좋다고 하셨죠.
저희 반 아이들도 선생님을 너무 좋아하고, 존경합니다.
특히 수업 중간에 음악 틀어 주시는 걸요.
제 꿈이 선생님인데,
만약 선생님이 된다면, 선생님과 같이 항상
칠판에 물음표를 그려 놓고,
생각하는 아이들이 되라는 것을 가르치겠습니다.

선생님, 정말로 사랑해요.

선생님의 이쁜 제자
OO올림.

선생님을 존경하는 한 학생이에요.

아 참! 제가 왜 이 편지에 펜을 들었는지 아세요?
이유는, 바로 선생님께 제가 쓴 아주 조그마한 글 (표절 아님)을
소개 하려해요.
저는 아직 글솜씨가 서툴고, 실수가 많아서 챙피하지만
저의 성의!!! 성의!!! 받아주세요.
그럼 지금 시작하겠습니다. (선생님께 바치는 글)
제목: **사랑하는 이에게**

내가 사랑하는 이여……
언제나 내게 푸른 세상,
티없는 세상을 보여주기 위해 노력하는 이여
나에겐 천사보다 더 깨끗하고, 아이보리처럼 하얀
장미향이 나는, 나의 사랑하는 이여……
언제나, 언제나 나의 머릿속 어딘가에
자리잡고 있겠지……

나는 사랑하는 이에게,
내가 사랑하는 이에게
세상에서 가장 큰 사랑을 드립니다.

모든 것을 사랑해 주시는 선생님께.

안녕하세요? 기분 좋은 산들 바람이 불고, 따사로운 햇빛이 내리쬐는 완연한 봄날입니다.

선생님! 저 기억하세요? 1학년 12반에 있는, ○○○이에요.

선생님을 작년 배치고사 볼 때 처음 뵈었는데, 그때 저에게 휴지 줍는 일을 시키셨죠. 그 때 선생님께서 하신, '고맙다'라는 말씀이 무척 기분 좋게 들렸었죠. 그 뒤로 12반에서 선생님을 두 번째로 뵀는데, 선생님이 우리 작문선생님이 되셔서, 정말 좋았어요.

(왠지 좋은 느낌이→ 점쟁이로 나가도 되겠죠?)

군대식처럼 짜여진 계획 속에 지쳐 있는 저희들에게

사막의 오아시스처럼, 휴식 같은 친구처럼

편하게 대해 주셔서, 얼마나 고마운지 몰라요.

화내실 줄 모르는 선생님!

항상 소녀다운 티가 나고, 어딘가 모르게 끌리는 선생님!

다시 한 번, 정말 고맙습니다.

근데요, 한 가지 궁금한 게 있어요. (실례가 될 지 모르지만)

화장은 왜 안 하시고, 바지는 왜 안 입으세요?

화장 하시면 더 이쁘실 텐데…….

선생님의 마음 속에

사랑과 평화가 영원히 깃들길, 기도드릴게요

– ○○ 올림.

선생님께 드리는 편지

선생님께서 읽어 주시는 소설을 들으며,

선생님께 드리는 편지를 씁니다. 이별을 고하듯, 선생님께.

마지막 편지를 쓰는 것처럼, 진지하고 서운하기 짝이 없습니다.

2학년 때 가르쳐 주실 지 의문이지만, 2학년 때도 저희들을

가르쳐 주셨으면… 저의 마음 속에서 맴돌고 있습니다.

선생님보다는 낭만적인 소설가, 아니면 정이 많으며

포근하면서도 부담이 안 가는 언니처럼 느껴졌는데,

참새처럼 작고 힘이 없어 보이지만,

목소리만큼은 누구보다 더 명랑하고 우렁찬 선생님….

무언인가 주고 싶은 충동감(?)을 갖고 계시는 선생님을 보면

마음이 아플 때도 있어요. 왜냐하면 나누어 주면, 선생님께는

남은 게 없으니까요.

선생님, 저희들 가르쳐 주시진 못해도, 가끔은 찾아 뵙고

이야기를 나누는 시간을 만들어 볼게요.

선생님, 언제까지나 몸 건강하시고,

언제나 밝은 미소, 명랑한 목소리, 변치 말아 주세요.

-OOO.

  p.s. 선생님의 순수하신 마음씨, 언제나 잊지 않겠어요.

     선생님의 고운 마음씨, 언제까지나 변치 않으시겠죠?

선생님께.

선생님, 안녕하세요? 벚꽃 향기가 그윽한 봄이에요.

저 누군지 아세요? 1-5반 OOO예요.

편지 쓴 지가 오래 돼서, 좀 어색하네요. 사실 제가 선생님을

처음 보았을 땐, 머리도 길고, 목소리도 작아서, 조금 이상하게

생각했어요. 하지만 선생님에 대한 저의 생각은 100%

달라졌어요. 뭐가 그렇게 다르냐구요?

머리 긴 거와 목소리 작은 건 여전하지만,

하루 하루를 멋있게 변신하는 선생님, 사과 선생님.

저희들 때문에 힘든 시간을, 차 한 잔으로 마음 가라앉히는

분위기 있는 선생님.

정말 전 사과 선생님을 잊으려고 해도 잊을 수 없을 거예요.

또 잊으려고 하지도 않을 거예요.

OO 올림.

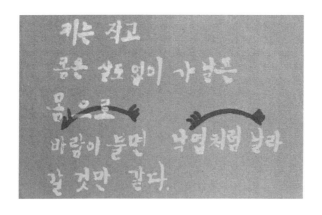

OOO 선생님께

서신으로 1년 동안 가르쳐 주신 인사를 대신합니다.

선생님 안녕하세요.

선생님께 한 학기 동안 문학을 배운 OOO입니다.

금요일 5교시 시간에 선생님들께 편지를 쓰라기에

처음엔 어떤 분에게 쓸까 이 분 저 분 생각을 해보았는데,

선생님의 작은 키와 마른 체격이 문득 떠올라서

펜을 들었습니다. 선생님께서는 저를 잘 기억하실 지는

모르겠지만, 저는 선생님에 대한 기억이 생생합니다.

겨울 방학하기 전에 선생님께서는 저희 교실에 백설기 떡을

한 움큼 쥐고 들어와 저희들 입에 조금씩 떼어서 넣어 주셨을 때,

세상에는 이렇게 좋으신 선생님도 있구나

하고 생각도 해보았습니다.

선생님, 저희 졸업하기 전에 꼭 시집을 가셨으면 해요.

선생님 결혼하시는 모습, 꼭 보고 싶어요.

선생님, 몸 건강히 안녕히 계세요.

2학년 O반, 제자 OO 올림.

Dear OOO 선생님께

따뜻한 어느 봄날 늦은 아침에, pen을 들어봤어요.

오늘 학교에 가서 공부하려고, 아니 사진 찍으러 가는데

선생님 생각이 나 이렇게 몇 자 적어봅니다.

선생님께선 저에겐 언니 같아요. 다정하시고

언제 봐도 부담이 없으신 분!

전 선생님께 웃음을 배웠고 친절함을 배웠습니다.

또한 용기라는 것도 배웠습니다.

아차! 선생님 드리려고 3일에 걸쳐, 그림 그리는 것에서부터

복사하기까지의 과정을 마쳤어요.

이 편지지가 마음에 드셨으면 좋겠어요.

저는 선생님과 함께 이야기하는 것이 좋아요.

하지만 찾아 뵙지 못해서 죄송합니다.

선생님, 오늘 하루 즐겁게 보내시고요.

많이 많이 잡수시고 언제나 행복하세요.

학교에 갈 시간이 점점 다가와 이만 마쳐야 될 것 같아요.

선생님!

OO이는 열심히 놀고, 열심히 공부하는,

또 웃음 잃지 않고, 꿈을 위해 정진하는 소녀가 될게요.

    - 모든 것을 사랑하시는 선생님께
     많은 것을 배우려고 노력하는, OO올림.

사과선생님께

선생님 안녕하세요? 저는 1~7, OOO입니다.

제가 처음 선생님을 보았을 때는 실망을 하였습니다. 그 이유는

저는 국어선생님이 1반 선생님인 줄 알았는데,

다른 선생님이었기 때문이었습니다.

하지만 선생님 시간이 될 때마다 기분이 좋았습니다.

저는 선생님이 공부만 가르쳐 주시는 줄 알았습니다.

선생님은 그것이 아니라,

저희들에게 공부보다 더 중요한 것을 가르쳐 주셨습니다.

그래서 저는 국어시간만 되면, 좋으면서 긴장이 되었습니다.

저는 천방지축이었는데, 제가 좋아하는 선생님에게 잘보이고

싶어서입니다.

만약에 선생님이 저를 싫어할까봐 걱정도 되었습니다.

저는 선생님을 존경해 왔습니다.

상담실에서 선생님하고 상담을 하고 싶었는데,

그런 용기가 안 났습니다.

그래서 저는 상담할 고민을 선생님께 편지로 씁니다.

제가 선생님께 말할 고민은 친구들에 대한 고민입니다.

공부도 안 되고, 수업시간에 집중을 못하겠습니다.

시험도 얼마 안 남았는데요.

이유는?

저는 왜 친구들을 사귀면 다 날라리 친구들만 사귀게 될까요?
저는 그래서 친구들이 고민이 되었습니다.
날라리 친구들은 안 놀고 피하면, OOO 의리가 없다고
저를 깔봐요.
그래서 저는 날라리 같은 아이들하고 어울리게 됩니다.
선생님, 이럴 때 저는 어떻 해야 하는 거지요?
선생님 의견을 듣고 싶습니다.
선생님의 답장을 기다립니다.

제자 OO 올림.

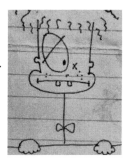

선생님.

저는 선생님한테 느낀 것, 하고 싶은 이야기를 쓸까 합니다.
선생님을 맨 처음 본 것은,
옆 반 친구가 같이 상담실에 가 보자고 했을 때, 안 갈려고
했는데, 친구가 조르는 바람에 같이 가게 되었습니다.
선생님을 본 것은 이 번이 2번 째인 것 같아요.
저는 선생님을 보면 부담이 안 가고, 편안한 느낌이 들었어요.
선생님은 이 세상에서 싫어하는 것이 별로 없을 것 같아요.

선생님은 몸도 약하고, 키도 작아서 학생으로 보일 때가 많은 것
같아요.

저는 왠지 선생님하고 있으면, 내가 가지고 있는 생각들을
다 털어 놓을 것 같아요. 선생님은 수업시간에도 교실 분위기를
편하게 이끌어 가는 것 같아요.

저번에 집에 갈려고 하는데, 선생님이 어느 남학생하고
이야기를 하면서 걸어가는 것을 보았어요. 저는 그 모습을 보고
참 재미있게 이야기를 하면서 걸어가는구나! 하는 생각을
해 보았어요.

선생님의 성격은, 말이 없어 보이는 것 같아요.

국어과목을 가르치셔서 여러 가지 면으로 사물을 보는 눈이
감정에 깊이 파고 드는 것 같아요.

시간을 내서 선생님을 찾아가서 뵙고 싶은데,
시간이 잘 맞지가 않아요.

나중에 시간이 날 때 친구랑 같이 선생님을 찾아 뵐게요.

선생님을 보면
외로워 보일 때가 많아요.

또 선생님은 학생들과 아이들을 무척 좋아하시는 것 같아요.

앞으로도 2학년 때 선생님을 만나면
더 활기차게 웃는 얼굴로 만났으면 좋겠어요.

제자 OO 올림.

저 좀 보세요!

안녕하세요?

처음으로 선생님의 이쁜 제자, OO이가 pen을 들었어요.

그냥 pen 색깔이 예뻐서……

요새 가을이라서 제 맘이 무지 뒤숭숭해요.

공부도 안 되고…

선생님! 제가 가을 타나봐요.

선생님도 가을 타세요?

아니, 선생님은 항상 가을 분위기가 나요. 봄에도, 여름에도…

사람이 자기만의 분위기를 갖는다는 건, 참 좋은 것 같아요.

저도 언젠가는 저만의 분위기를 갖겠죠?

참! 오늘은 저희 엄마, 아빠 결혼 기념일이에요.

며칠 전부터 저희 엄마는, 이 날만 오기를 기다리신 것 같아요.

선생님도 어서 시집가세요. 선생님은 좋은 선생님뿐만아니라,

좋은 어머니도 되실 거예요.

음~ 저는요. 시집 안 갈 거예요. 왜냐하면 전 이웃에게 봉사하고,

모든 걸 사랑할 줄 아는, '수녀'가 될 거예요.

언제 바뀔 진 모르겠지만,

아니 제가 해낼 수 있을 지 모르겠지만…….

선생님! 힘 내세요. 저도 힘 낼게요.

선생님, 파이팅!

선생님

처음에 선생님께서 들어오시자마자

'?'랑, 꽃이랑 그리시고, 칠판에

앞으로 여러 가지 써 놓으라 하시고,

'맑은 눈을 뜨는 습관을 갖자' 라고 쓰셨을 때

어딘가 괴짜(?)가 아닐까 생각했어요.

처음엔 선생님 같은 분이 처음이라

어떻게 해야 할 지 모르겠고, 당황스럽고 했는데,

이제는 알 거 같아요. 선생님께서 저희를 믿어 주시고,

아껴 주신 마음, 정말 감사드립니다.

선생님을 만나고, 무언가 내가 알지 못했던 뭔가를

깨달은 느낌이에요.

선생님, 그거 아세요?

선생님께서 은근히 다른 사람보다 무서웠다는 걸.

아마도 선생님이 믿었던 건, 우리들의 양심이었고

그 양심을 저버리면 안 된다는 생각이

그렇게 만든 거 같아요.

 아 참! 선생님.

또 감사드릴 것이 있어요.

선생님 수업을 받으며, 선생님을 계속 쳐다보게 됐어요.

처음에 선생님께서 큰 눈으로 제 눈과 마주보게 될 때면

곧바로 피했는데, 이제 똑바로 쳐다볼 수 있게 됐어요.

좀 웃기죠?

하여간 선생님의 마음, 웃음, 말씀.

선생님께서 떠나신 후 선생님이 남겨 주신 것들

많이 생각날 거예요.

선생님, 몸 건강하세요.

저희들 잊지 마시구요.

- 선생님의 3학년 O반, OOO 올림.

* **아이들이 기억하는 것**(→아마도 저희들의 마음일 겁니다)

"아이들은 당신이 제공한 물질적인 것을, 기억하지 않을 것이다.

아이들은 당신이 그들을 소중히 여긴 사실을 잊지 않고,

기억할 것이다." -<마음을 열어주는 101가지 이야기> 중에서-

선생님께

목요일 2교시만 되면 어김없이 찾아 주시는 선생님,

선생님을 만나서 공부한 기간은 별로 되지 않지만

수업 방식이 많이 다른 것을 느꼈어요. 사실 선생님의

수업 방식이 좀 생소했지만, 딱딱한 수업 방식보다는

정말 좋았어요. 2주 정도밖에 되지 않았던 수업이었지만

많은 것을 가르쳐 주신 선생님께, 감사드립니다.

깡마른 체구에 눈이 크신 선생님.

덧버선이 큰지 뒤에가 남는 선생님.

하지만 저는 느낄 수 있었어요.

외모는 아주 작지만, 선생님의 마음속은

저희들을 모두 다 포용하실 수 있는 마음인 것을……

선생님, 그런데요. 선생님 아주 건강하셨으면 좋겠어요.

살도 많이 찌시구요, 네?

선생님

2학년이 시작되면 많이 뵐지, 못 뵐지는 아직 모르겠지만,

언제나 보면 웃는 얼굴로 대해주세요.

참!

언제나 건강하실 수 있도록 제가 빌어드릴게요.

안녕히 계셔요.

－ 눈이 크신 분께. ○○○.

"선생님, 항상 건강하세요."

제가 아는 선생님은요. 마음은 건강하고 풍요롭지만
몸은 별로 그러신 것 같지 않아 조금은 걱정입니다.
선생님을 처음 뵈었을 때, 정말 놀라지 않을 수가 없었습니다.
왜냐하면 저의 손목과 삐까삐까할 정도의 발목,
그리고 제가 꿈에서 그리던 얇고, 가냘픈 다리 때문입니다.
몇 달 안 되는 선생님과의 학교 생활 속에, 선생님께서는
병원에 입원하셨었지요.
지금은 밝으신 선생님의 목소리와 표정에
감사합니다.
앞으로도 계속 선생님께서
국어라는 과목을 가르쳐 주셨으면 좋겠는데
그럴 희망이, 가능성이 얼마될 것 같지 않아
정말 섭섭합니다.
항상 저희들에게 나누어 주고, 베풀어 주신
선생님의 사랑,
마음 깊은 곳에 영원히 간직하겠습니다.
(꼭 어디론가 떠나가는 사람 같네!)
위의 큰 글씨처럼 '항상 건강하세요 선생님'.

　　　　－ 일학년 팔 반, ㅇㅇㅇ 드림.

선생님.

처음에는……

선생님의 목소리나, 수업 방식 등 모든 것이 새롭고

익숙치 못해서 선생님을 이해 못 할 때가 많았고,

또 졸구, 떠들고, 장난치고, 그럴 때가 많았습니다.

이제는…… 선생님이 좋구,

또 수업 시간에도 너무나 잘 가르치시고(우리가 이해하기 쉽게),

우리를 이해해 주셔서 감사합니다.

밖엔 비가 주룩주룩 내리고, 앞으로 무슨 일이 일어날 것 같은

불길한 예감이 드는데…. 아니겠죠?

전 이런 쓸 데 없는 공상을 너무 해서 탈이에요.

선생님! 아프셔도 웃으세요.

그러면 제가 선생님만 봐도 힘이 나거든요!

저는 가끔가다 성경책을 읽어요. 참 좋은 진리의 말씀이 숨겨져

있는 것 같아서 마음이 참 편해요.

'수고하고 무거운 짐 진 자들아 다 내게로 오라

내가 편히 쉬게 하리라….' 가끔 선생님 기도도 드릴게요.

선생님도 제 기도해주세요.

사랑해요.

OO 드림.

우리 선생님

- OOO

맨 처음 그대를 보았지요.

가냘픈 몸매와 어색한 표정으로 내게 다가왔죠

……

1년이 흘렀죠

온 세상을 그대로 인해 달리 보게 되었죠

그대는…

그대는…

한없이 넓은 가슴과,

화안한 미소로

나를 어루만져 주었죠.

난 그대를 무척 좋아할 수밖에 없었죠

그대는…

그대는…

나의 국어선생님이셔요.

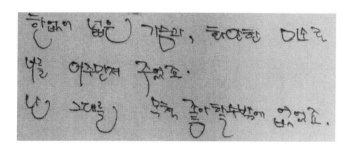

○○○ 선생님께—

뒤늦게나마 선생님께서 전근 가신다는 소식을 들었습니다.

정말 믿어지지 않아요. 학교가 허전할 것 같습니다.

사랑을 나눠 주시던 선생님께서 안 계실 테니까요.

선생님께서는 어느 곳에 가시든, 늘 많은 사랑받으실 거예요.

○○인 선생님을 무척 좋아했어요.

아니, 사랑해요.

앞으로 저의 기억 속에 그렇게 자리하실 거예요.

1학년 때 선생님과 많은 시간을 함께 했다고 생각했는데,

오늘은 그 시간이 너무 짧게만 느껴집니다.

하지만, 짧은 시간 동안 많은 추억이 있습니다.

제 생일 때 과자를 가져오셔서 축하해 주셨던 일과

밤 늦게 공부하다가 집에 가기 전 선생님을 찾아갔던 일,

선생님께서 끓여 주신 따뜻한 차, 언제나 반가워하시던 미소,

"○○이 앞에서 이에 고춧가루가 끼면 안 되지" 하시며

거울을 보시던 선생님의 모습,

제 이야기를 들어주셨던 시간들…

헤아릴 수 없는 기억이 되살아 납니다.

○○인 정말 행복한 아이지요?

선생님께 사랑을 받았던 소년 소녀 中 1명이었으니까요.

수학여행 때 선생님과 함께 찍은 사진, 남원에서요.

그래도 잘 나왔죠?

친구 사진기로 찍어서 한 장 밖에 없어요. 선생님께 드리기 위해 필름을 달라고 했었는데, 아직도 소식이 없네요.

꼭 선생님께 드리고 싶어요

(사실은 선생님 사진이 없어서 제 앨범 속에 영원히 간직하고 싶었는데요. 친구에게 계속 졸라봐야죠.)

선생님께서 가시는 학교의 학생들은 좋을 거예요.

남은 고교 1년 동안 선생님을 뵐 수 없다고 생각해 보니까

고 2때 선생님께 전하지 못했던 일들이 속상해요.

선생님 생각나면, 어디로 편지하죠?

보고싶을 거예요.

선생님은 OO이라는 이름을 가진 저를 쉽게 잊으실 것만 같아서 더 속상해요 (학생이 많으니까요). 하지만 밝게 웃으며, 선생님께서 가시는 모습을 볼 겁니다.

선생님을 사랑하는 제자 중 한 명이니까요.

선생님은 아직도 저희 같은 소녀의 마음씨를 갖고 계세요.

언제까지나 그랬으면 좋겠습니다.

어느 곳에 가시든 건강하시고, 이 사진 보실 적마다

'이런 제자도 있었지—' 하고, OO이를 기억해 주세요

(단 몇 달이라도).

선생님, 행복하세요!

선생님께

사과선생님, 안녕하세요?

저는 1학년 2반에 재학중인 OOO입니다.

선생님께서는 참 아름다운 목소리를 갖으신 것 같아요.

저도 커서 꼭 본받고 싶어요.

선생님,

선생님 머리를 파마하신다거나, 아니면 끝에만 살짝……

선생님은 동양적 미인 같아요.

이유: ① 얼굴형은 아! 동그레.

② 눈은 크다 쌍꺼풀까지!

③ 입은 앵두 입술.

선생님,

선생님은 매우 겁이 많으실 것 같아요. 눈이 너무 커서요.

하지만 그것도 하나의 매력이죠 뭐!

저의 매력은 눈 위의 작은 점(왼쪽 눈).

사람마다 각기 다른 성격을 갖고 있지만, 제가 보기에

선생님은? (분위기 있는 여자)

선생님, 앞으로 저와 더 친해졌으면 좋겠어요.

그럼, 이만 펜을 놓겠습니다, apple teacher.

늦은 밤, 선생님을 생각하는

OOO 올림.

선생님에게

학교에 들어와 여러 선생님들을 보았지만
OOO선생님이 제일 기억에 남는다.
학생들을 잘 생각해 주고, 슬픔과 아픔과 즐거움을
같이 하시는 선생님.
맨 처음엔 이런 선생님이 사실 웃겼다.
생각지도 않은 일은 모두 이 OOO선생님이 하신다.
몸이 약하신 선생님은 자기보다는 학생들이 우선이었다.
이런 선생님은 생전 처음 만난 분이셨다.
이런 착한 선생님 시간에 말썽을 피워도
잘 넘어가시는 선생님.
조금은, 아니 많이 미안하다 (죄송해요).
하지만 선생님께도 잘못이 있는 것 같다.
나도 뭐라고 말할 수는 없지만, 그냥 그렇게 느껴진다.

선생님,
몸 건강하세요.

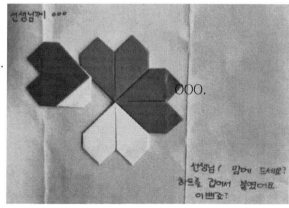

선생님!

누굴 좋아해 보신 적 있으세요? 누굴 좋아한다는 것은

아직 죽지 않았음을 짐작할 수 있을 거예요.

물론 선생님은 만인을 좋아하시니까,

모든 것을 밝고 예쁘게 생각하시니까,

모든 것을 부정적으로 보지 않으시니까,

병이 빨리 나을 수 있을 것이라 생각해요.

아기들의 맑은 눈 같이 선생님의 눈도 무지 맑아요.

언젠가 선생님을 다시 볼 수 있을 때,

선생님도 저를 다시 보실 수 있을 때

저는 지금의 저와 다른 모습을 보여주도록 노력할게요.

둘리 같이 생기신 선생님. 정말 다시 볼 수 있도록 꼭 나으세요.

저도 지금 누굴 좋아하고 있다고 할 수 있겠지요.

그 상대가 남자든 여자든, 최선을 다해서 상대를 좋아할 거예요.

사랑한다는 것은,

그 사람의 장단점을 모두 좋아하는 것이고,

좋아한다는 것은,

그 사람의 장점만 좋아하는 것이래요.

그렇다면 당연히 선생님은 사랑을 택하시겠지요.

내 말이 맞지요?

ㅇㅇㅇ

○○○ 선생님께

하루 동안의 삶이란

나에게 어떤 보람과 희망을 주는가에 대해 생각해 본다.

하루가 지나면 그 다음의 하루, 이렇게 하루가 지나감에 따라

나, 아니 우리들은 변화되고 있지 않은가? 변화된 생활을

꿈꾸기 위해서는 어떻게, 어떻게……

안녕하세요? 서신으로 1년 동안 가르쳐 주신 인사를

대신합니다. 제가 선생님을 처음 뵌 적이 생각나요.

목소리는 인자하시고, 선생님이 너무 날씬하신 반면 목소리가

우렁차게 교실을 흔드셨어요.

선생님!

이제 와서 선생님의 모든 말씀이 저에게 희망이 되고,

용기를 잃지 않게 해 주신 것을 알 것 같아요.

그때 그때는 못 느꼈었지만,

1년이란 세월이 흐르고 나서야 느낄 수 있었죠.

앞으로 1년 후면, 전 이 학교를 떠나

어엿한 사회인이 돼있겠죠?

남은 1년 동안, 선생님의 말씀 많이 많이 듣고 싶어요.

선생님께 부탁드리고 싶은 것이 있어요.

첫째, 아프시지 말고, 몸 건강하실 것.

둘째, 학생들에게 언제나 좋은 말씀, 많이 해 주실 것.

셋째, 언제나 절 잊지 말고 생각해 주실 것.

　이 세 가지예요.

선생님께서 다시 건강한 모습으로 학교에 다니실 수 있어

참 좋아요.

저에게 고민이 있을 때, 선생님을 찾아 봬도 괜찮겠지요?

선생님

두서없이 쓴 글이지만, 끝까지 읽어 주셔서 감사합니다.

제가 누군지 궁금하실 것 같아서 이름을 밝힙니다.

2~8반의 OOO

제자, OO 올립니다

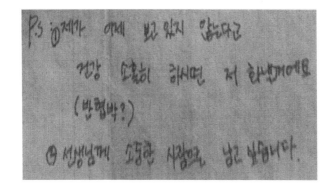

사과선생님을 생각하며~

언제나 가냘프고 꼭 가을에 피는 코스모스같은 우리 국어선생님.
라일락 향내 물씬 풍기는 우리 국어선생님은 제가 전교에서
제일 사랑하고, 좋아하고, 또 존경하는 선생님이십니다.
그 약하신 몸으로 저희를 가르치시는 것도 힘이 드실 텐데
저희가 떠들기라도 하면, "거기 조용히 해요"하고,
말하시느라 얼마나 힘드시겠어요.
이젠 그런 선생님을 위해 떠들지 말아야겠네요.
국어를 좋아하진 않았지만 3학년 어느 때였나?
국어란 과목이 좋아졌어요.
그래서 전 지금 국어공부만 하고 있는지도 모르겠어요.
이렇게 말해버리면 안 되는데~ 그리곤 시험 못 보면 안 되는데.
그러나 전 걱정하지 않아요.
노력한 만큼 대가는 충분히 얻을 수 있으니까요.

다른 선생님보다 국어선생님이 더 편한 이유는 뭘까요?
전 그래요.
선생님이 편해요, 엄마처럼~
아무튼 그래요.
국어란 과목은 잘 못하지만, 그 시간이 매일 기다려져요.

선생님!

국어가 1주일에 5시간이나 들었으니까 다행이지.

가령 가정, 음악, 미술처럼 1시간만 들었다면, 전 너무

섭섭했을 거예요.

국어시간에 듣는 노래가 참 좋아요.

선생님! 근데 전 며칠 전에 매우 속상해서 울기까지 했어요.

국어사전이 없어져서요.

근데 전 이제 괜찮아요. 국어사전은 또 있으니까요.

만약 국어책을 잃어버렸다면, 하루 종일 울고도 모자랐을 거예요.

선생님, 제가 그만큼 국어를 좋아한다는 거예요.

순전히 선생님 때문에, 선생님이 좋아서.

선생님 긴 머리가 참 좋아요.

저도 그렇게 머리를 길게 기르고 싶은데, 전 학생이잖아요.

조금만 더 참았다가 어른이 되면

선생님처럼 머리를 기를 거예요.

3학년 끝날 때까지 국어를 열심히 가르쳐 주세요.

글 솜씨가 없어서 이만 줄이겠습니다.

안녕히 계세요.

°○○○

우리 선생님께~

선생님!
선생님은 눈이 참 맑아요.
꼭 눈물이 나올 것만 같아요.
어쩔 땐 슬퍼 보여요.
전 그런 사람을 참 좋아해요.
선생님도 제가 좋아하는
사람 중의 한 사람으로 저의
마음 속 한 구석에 새겨 있거든요.
언제나 건강하세요.
○○올림.

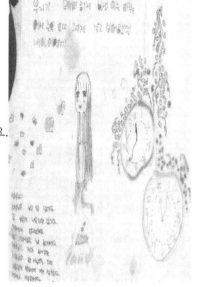

선생님께

문학선생님을 보면 참 기분이 묘한 것 같다.
다른 선생님은 떠들면 군밤을 때리거나 야단을 쳐서
별로 무서운 것도 아니고, 선생님한테 개기겠다는 느낌이 드는데,
문학선생님을 보면 존경하는 느낌,

그리고 내 입이 저절로 다물어지고,

때리시는 선생님보다 더 무서운 것 같다.

참 묘~한 기분이다.

선생님 반 학기 동안 잘 가르쳐준 은혜,

감사합니다.

OOO.

벚꽃도 개나리, 철쭉도 자신의 아름다움을 뽐내는 이 계절의 주인공, OOO 선생님께!

안녕하세요?

능력이 부족해 언제나 선생님 힘들게 하는 1학년 OOO입니다.

선생님께는 왠지 예쁜 편지지에 마음을 담아 드리고 싶어요.

이제 두 달 되어가나요? 그런데도 선생님과는 아주 오랜 사이 같아요.

저희 반 참 힘드시죠?

선생님이 싫거나 다른 뜻이 있는 건 아니에요. 좀 잘 안돼요.

언제나 뒤에서 지켜 보시는 선생님 때문에, 저희가 그래도
더 열심히 하게 되나 봐요.
중학교의 높은 언덕을 오르며, 거기다 뭣 모르고 반장이란
무거운 짐도 들고 지내자니 힘들고, 오히려 반 분위기도
안 좋아지는 것 같아, 속이 상해요.
그렇지만 선생님의 인자하신 미소와 격려 말씀 때문에
힘이 생기고, 능력도 생기는 듯해요.
감사합니다.
이젠 저도 우리반을 위해 열심히 할 수 있을 거 같아요. 길고도
짧은 기간에 선생님과 좀더 즐겁고 진지한 수업하고 싶구요.
<요람기>의 지은이처럼, 저도 좋은 추억 만들어
'나의 어린 시절은' 하며, 생각할 거예요.
선생님, 꼭 도와 주실 거지요? 믿을게요.
커서도, 키는 작으시지만, 생각의 길이는 누구보다도 길고,
작은 체구이시지만, 마음은 누구보다 크고 넓으신,
긴 머리 소녀 같으신 국어선생님, 잊지 못할 거예요.
(꼭 1년 끝난 말 같네.) 남은 1년, 열심히 할게요.
선생님의 많은 제자 중, 좋은 제자로 기억되려면요.
그럼 이만 줄일게요. 안녕히 계세요.

선생님의 작은 악마(?)

제자, OOO 올림.

꽃을 좋아하시는 선생님께

선생님! 저예요, 이쁘니(??) ○○. 3학년 9반 ○○○.
만남이 있으면 이별이 있다고 하지만, 역시 이별은 슬프네요.
선생님께서는 제게 많은 걸 가르쳐 주셨어요. 공부말고도……
전 선생님을 많이 이용(??) 못 한 것 같아, 이렇게 후회만 하네요.
하지만 선생님. 전 선생님이란 단어가 무척 좋아졌어요.
물론 선생님 덕분이죠.
선생님께선 긍정적! 적극적! 능동적! 좋아하셨죠.
글구 칠판에 꽃 한 송이라도 그려놓는 것두요. 사실 선생님께
칭찬받고 싶어서 칠판에 꽃을 그린 적이 있어요. 히히.
핑계 삼아 선생님께 가려구 했는데…….
시간이 이렇게 짧은 줄 알았으면……
선생님 너무 해요. 미워용! 아니에요!
선생님과 함께 하는 1년이란 시간두 짧다구 생각했는데…….
처음엔 적응하지 못했지만, 이젠 많이 적응되었는데……
사람은 길들여진다고 하잖아요.
이제 선생님께 많이 길들여(??)졌는데. 너무 속상해요,
선생님. 슬프구요. 글구 많이 죄송해요.
좀 더 적극적으로 수업에 임해야 됐었는데……
선생님께서 적극적인 사람을 좋아한다는 걸 알면서두……

선생님! 사실 저는 2학년 6월에 전학을 왔거든요!

그때 OO이가 어려운 일을 당해서, 도시락을 양호실로 받으러

가야했었어요. 그때 가끔 선생님을 뵈었어요.

제가 볼 때마다 선생님 손에 항상 컵이 들려 있었어요.

글구 인사하면 항상 웃으면서 받아주셨죠.

그 때 기분이 좋더라구요. 히히.

지금도 좋아요, 선생님 얼굴을 보면.

항상 웃고 계시잖아요.

선생님 사랑해요 (절대 아부가 아님).

제게 참 많은 모습을 보여주셨어요.

이모 같기도 하구, 언니(?) 같기도 했어요.

글구 제가 더 건강해진 것 같아요. 아마 박수를 많이 쳐서

혈액순환이 잘 돼서 그런가봐요. 후후~

요즘은 학생들! 아니 많은 사람들이 자기 생각만 하는 그런

이기주의를 갖잖아요. 그리구 너무 어른스러워지려고 하잖아요.

근데 선생님 앞에선 그러구 싶지 않았어요.

선생님께서 그런 모습을 싫어하시기도 하지만,

선생님과 수업하면, 어린 아이(?) 아니 너무 과장했나?

암튼 순수해지는 것 같아요.

선생님의 순수함이 제자들에게까지 미치나 봐요.

선생님, 건강이 최고예요!

다른 나라에 가서서 너무 무리하지 마세요. 식사는

제때 하시구요. 지금은 첨에 수업할 때보다 많이 좋아 보여요.

물론 선생님께서 허벅지나 팔을 꼬집으면서 참아내시는 거겠죠.

선생님 힘내세요.

다른 나라에 계셔두, 저희들을 못 만나두

저희들, 특히 OO 기억해 주실 거죠?

전 선생님을 믿어요.

글구 전 선생님을 존경하구, 선생님이 자랑스럽습니다!

선생님께서는 직업의식으로 교단에 서는 게 아니라,

정말루 아이들을 사랑한다는 것을, 전 알아요.

그래서 그런 선생님이 좋아요. 제 꿈도 선생님이거든요!

저도 선생님 같은 선생님이 되고 싶어요.

제가 선생님이 되었을 때 정말 선생님께 부끄럽지 않은 그런

선생님이 될 수 있을까요? 그럴려면 열심히 노력해야겠지요.

천천히! 쉬지 말고 그러나!⁵(오늘 실수를 참 많이 하네요).

맘이 싱숭생숭해요.

선생님 저희 O반이 처음 수업부터 걱정 들었잖아요.

넘넘 죄송해요.

---

5 '천천히, 그러나 쉬지 말고!'

선생님! 부탁이 있어요.

저희와 생활한 동안 좋은 기억들만, 즐겁구 행복했던 일만,

그런 일들만 기억해 주세요. 꼭 영화의 한 대사 같네요.

나중에, 이 다음에 거리에서 선생님을 뵐 수 있겠죠?

그 때 인사할게요. 꼬~옥.

옷깃만 스쳐도 인연인데 선생님과 전, 스승과 제자의 사랑으로

묶였어요. 참 깊은 인연이죠?

그러니까 언젠가는 인연이, 또 이런 인연이 있겠지요.

선생님! 선생님께서 해주신 말:

        "초일심 최후심",

        "준비가 철저해야 자신감이 생긴다",

        "맑은 눈을 갖는(?), 아니 뜨는 습관을 갖자!"

잊지 않을게요.

선생님! 사랑해요.

이제 곧 스승의 날인데 선생님과 함께 보내지 못하네요.

속상하고 슬퍼요~*

선생님, 건강하세요. 글구 넘넘 **사랑해요.**

    p.s. 선생님. 제가 카네이션을 접었어요.

        그리 이쁘진 않지만 잘 간직해 주세요!

            선생님을 떠나 보내야하는,

            제자 OO 올림.

선생님께

선생님 어디가 어떻게 얼마나 아프신지요?

창백한 얼굴에 금방 쓰러질 것 같습니다.

선생님이 아프시니, 이 글을 읽을 수 있을지 걱정입니다.

전 선생님에 대해서 많은 것을 알고 싶습니다.

선생님의 처세 철학, 나이 그리고 선생님의 비밀이자

아이들이 무척이나 궁금해하는 허리 싸이즈.

왜 식사법이 특이한지

그 이유와 그런 식사법을 하게 된 동기.

선생님께서 무척이나 편찮으신데, 이런 질문들을 던진다는 것이

예의가 아닌 줄 압니다. 이런 질문을 한다는 것이, 건방진 건

아닌지….

선생님께 이 글을 쓰려고 마음먹었던 것은,

선생님이 빨리 병이 나시기를,

그리고 '힘내세요' 라는 말을 하고 싶었는데….

죄송합니다.

빨리 나으세요.

힘 내세요.   OOO 올림.

안녕하세요?

선생님 제가 누구인지 아시겠는지요?

만약 세종대왕상까지 받은 저를 모르신다면,

전 대단히 섭섭할 것입니다.

사실 전 선생님과 친하게 지내고 싶었습니다.

하지만 선생님은 모든 면에서

'가까이하기엔 너무 먼 당신' 이란 유행가 가사처럼

느껴졌습니다.

그래서 이 벽을 허물면서, 좀 더 시간을 갖고

선생님과 가까이하고 싶었는데

이제는 졸업이라는 더 두터운 벽이 가로막습니다.

하지만 지금 이 카드를 선생님께 보내드림으로써

조금씩 벽을 허물고 싶은 것이 저의 마음입니다.

선생님께 부탁이 한 가지 있는데 들어주시겠죠?

다른 것이 아니고요.

좀 더 많이 드시고, 좀 더 많이 주무시고,

좀 더 많이 쉬셔서, 살 좀 더 찌셨으면 하는 것입니다.

마지막으로, 새해 복 많이 받으세요.

한 해가 저물어가는, 눈보라가 매서운 밤입니다.

OOO 올림.

선생님.

    O: OO하고

    O: OO한

    O: O 같은 당신이십니다

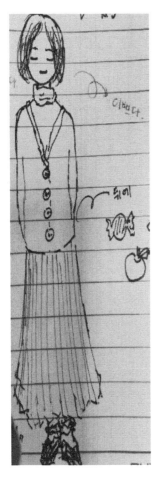

몸이 튼튼하셨으면 좋겠습니다
언제나 맑게 사시는 모습이 좋습니다.
선생님, 새해에는 더욱 예뻐지시고
선생님의 밝은 미소와 인정이
영원히 변하지 않았음 좋겠어요
항상 건강하시구요.
이루고자 하시는 모든 일에 행운이
함께 하길
진심으로 빌겠어요.
그리구,
선생님을 정말루 좋아해요!

      1학년 O반, 제자 OO올림.

OOO 선생님께

저 OO예요.

선생님, 이렇게 편지를 쓰는 건 해외로 나가신다고 하셔서

축하와 슬픔 동시에… 이렇게 편지를 쓰게 되었어요.

우선 축하드려요.

선생님께서 워낙 뛰어나시니깐 해외까지 가는 거라고 생각해요.

저도 선생님을 본받아서… 훌륭한 사람이 되고 싶어요.

누구의 본받이가 된다는 게 무엇인지 알고 싶어요!

그리고 슬픈 건… 선생님과 헤어질려니까 슬퍼요~~

OO요, 오늘 울더라구요.

친구가 우니까 저도 눈물이 찔끔찔끔 나왔어요!

선생님과 정이 벌써 들었고… 헤어지기 싫은 마음이에요.

국어시간이 이렇게 재미있고, 기다려진 건 처음이었는데…

선생님, 그 곳에 가셔도 OOOO중학교 3-O반 잊지 말아주세요.

제일로 재미있던 국어시간, 잊지 못할 거예요!

선생님을 바라보면

거짓말을 하던 아이, 손버릇이 나쁜 아이, 욕을 하던 아이도

선생님의 눈으로, 손짓으로 모두 착하게 만들어 주실 거예요.

선생님, 건강하세요

선생님, 사랑해요.

선생님의 시 잘 쓰는 제자, OO 올림.

선생님께

선생님 안녕하세요? 저는 1학년 9반 OOO입니다.

제가 겪어본 선생님들은 모두 딱딱해 보였지만,

선생님께서는 예외였습니다.

부드럽고 차분하게 생기셨고, 처음 목소리를 듣는 순간

바닷속의 어느 마을에서 온 인어공주 목소리였어요.

선생님께서는 성우를 하시면 어울릴 것 같다는 생각이 들어요.

하지만 저희들 곁에 계셔서, 예쁜 목소리로 공부를 가르쳐

주시는 모습이 더 아름다울 것 같습니다.

선생님,

저 글솜씨가 너무 없죠? 전 글을 잘 못써요.

그리고 국어를 잘하려고 노력을 많이 하지만,

국어 성적은 별로 좋지 못해서 탈이에요.

이런 것을 보시고 절 많이 지도해 주세요.

또한 예쁘지도, 활발하지도 않은 그런,

조금 얌전한 OO이에요.

지금 이 편지도 선생님께 드려야 할 지,

아니면 내가 가지고 있다가 언젠가 버릴 수도 있는,

그런 용기도 있지 못한 아이예요.

하지만

전 선생님께 이 편지를 꼭 드릴게요.

To. OOO 선생님

첫번째 쓰는 말을 뭐라고 써야할 지 모르겠네요.

솔직히 선생님 외국 가신다는 소문은 들었지만,

헛소문인지 알았어요. 근데 어제 선생님께서

오늘이 마지막 수업이라고 말씀하자, 전 놀랐어요. 화도 나구…

화가 왜 났는지는 모르지만….

선생님께 고백할 게 있어요.

저 솔직히 맨 처음 선생님께서 저희 반을 꾸짖어 주셨을 때,

너무 싫었어요. 그 다음부터 계속….

근데요. 지금은 선생님 너무 좋아요.

언제부턴가 선생님께 정이 들고….

저도 제가 이렇게 수업에 적극적으로 참여하는

저를 보고 놀라면서, 그러면서도 더 열심히 하구….

많은 학생들 사이에서 제 이름 석 자 알아주신 거 고마웠어요.

선생님들 중에 제 이름 아는 선생님도 얼마 없었는데….

수업 시간에 선생님께서 자진해서 손 들라고 할 때도, 들고 싶을

때가 많았지만 용기가 나지 않았어요. 친구들 눈도 있고…

그래서 전 우리 반에서 유일하게 손을 자주 드는 OO이가

부러웠어요. 그 때마다 전 '나중에 들면 되지' 라는 생각을

했었는데…. 이젠 선생님과 함께 하는 나중이 없어요.

선생님과 졸업식 때 같이 사진 찍으려고 했는데….

사진을 앨범에다 끼워 놓고 그 옆에다,

'내가 가장 좋아하는 국어선생님'이라고 쓸려고 했는데….

제가 어른이 되어도 선생님은 그대로

꽃을 좋아하시는 선생님 그대로 계시겠죠?

변하지 않고 지금 이 모습 그대로 계셨으면 좋겠네요.

길거리에서 마주치면 알아볼 수 있게…..

제 마음은 선생님 가지 못하게 말리고 싶어요.

하지만 그럴 수는 없어요. 왜냐면 선생님께서도 사생활이 있고,

이번에 가시는 것도 좋은 경험이 될 테니까요.

선생님께 부탁이 몇 가지 있어요.

하나는 10년, 20년이 지나도 제 얼굴, 제 이름,

그리고 3학년 O반의 얼굴들 잊지 않으셨으면 좋겠어요.

물론 선생님껜 제자가 많으니까 잊을 수도 있겠죠?

그냥 부탁일 뿐이에요. 또 한 가지는~

아니에요. 한 가지만 부탁드릴게요.

친구들한테 많은 박수를 받게 해 주신 선생님, 고마워요.

선생님께서 저희에게 해 주신 말,

"맑은 눈을 뜨는 습관을 갖자!", "초일심, 최후심" 등

더 많은 좋은 말들 언제나 마음 속에 새겨 놓을게요.

선생님, 사랑해요.

　　　　From. 선생님과 비슷한 어렸을 적 추억이 있는, OO이.

OOO 선생님께

지난 1년 동안 저희들이 선생님 말 잘 듣지 않아서
힘드셨죠?
제가 선생님을 뵐 때, 너무나 약하시고 야위셨지만
선생님의 사고방식은 많이 진보적이시고
저희들 편에서 생각하시려고 노력하시는 것 같아요.
이런 선생님의 배려가 복에 넘쳐 저희는
몸부림치는 것이라 생각합니다.
음식 많이 드시고, 몸 건강하세요.
선생님 곁에 항상 행운이 있기를 빕니다.

제자 황OO 드림.

To. OOO 선생님(Apple teacher)

안녕하시오니까? 소녀 문안드리옵니다.
선생님, 어때요? 뭔가 색다른 분위기를 내려고 해봤어요.
오늘은 즐거운 5월 15일 스승의 날 (평일이었으면 좋았을 텐데)
스승의 날에 선생님 기분은 어떠세요? 스승의 날 전부터
선생님께 편지를 쓰려고 마음은 먹었지만, 잘 안 됐어요. (Sorry)

전 선생님 같으신 선생님은 처음이에요.

시와 노래를 거의 매일 들려주시고, 먹을 것도 주시고

우리들의 서투른 말솜씨의 글이나 의견을 잘 들어주시고…….

선생님이 무척 좋아요.

아 참, 엽서의 그림 어때요?

선생님처럼 방긋방긋 웃는 모습이에요. 예쁘죠?

선생님의 미소, 앞으로도 계속 볼 수 있게 해주세요.

저도 선생님처럼 학생들을 잘 이해하고,

언제나 웃고 있는 선생님이 될 거예요.

엽서라서 말은 많이 못해요. 다음에 또 만나요(편지로).

추신: 건강 조심하시고, 저희들 때문에 무리하지 마세요.

　　　　　　　　From. (푸르매-푸른동)에서

　　　　　　　　　선생님을 닮고 싶은 OO

　　　　　　　　To.　(과수원-사과동)

　　　　　　　　　　OOO 선생님

* 비록 향기는 코로 냄새 맡을 수는 없지만, 마음으로

　　　　느껴보세요. 향기가 날 거예요.

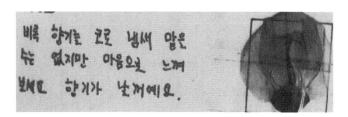

영원한 사랑

비와 음악이 있는 시간입니다
따스한 선생님의 우리들에 대한 사랑과
순진한 우리들의 선생님에 대한 사랑이 있는 시간입니다
두 개의 사랑과 음악으로 내 마음은 꽉 차 있고
비와 두 개의 사랑으로 밖은 또한 가득 차 있습니다.

선생님의 우리들에 대한 무한한 사랑을
다시 한 번 절실히 느껴봅니다.
그 사랑을 받기만 하는 자신이 부끄럽기도 합니다
하지만 선생님의 따스한 사랑이 이 모든 것을
이해해 주리라 생각합니다

친구들과의 사랑을 선생님께도 드리고 싶습니다
보이지 않는 사랑이지만 그것으로나마
선생님에게 답례라고도 할 수 있는
그런 의미 있는, 진한 사랑을 말입니다

아담한 내 마음과 넓은 선생님 마음과의 거리는
얼만큼이나 되는지 재어보지 못한 것이

후회가 됩니다. 아마도 너무도 작게 느꼈던

내 마음 때문일 것입니다

영원한 사랑으로 선생님을 생각할 것입니다.

선생님은 영원히 잇혀지지 않을 것 같아요. 정말로요! 유선 수업 방식이 너무 새롭고
너무 자상하셨거든요. 제가 커서 작은 유치원에서 아이들을 가르친다면
선생님께서 저에게 해주었던 것처럼 애기도 많이 해주고 사랑도 잔 나누어 주는
따뜻한 선생님이 될 것 같애요. 그쵸?

'아마'라는 단어가 필요 없이 내 평생 최고의 국어선생님께

놀랐어요… 순간 어안이 벙벙해서… 정말 너무 속이 상해서……
사실, 방금 선생님 꿈을 꾸었어요.
요즘 들어 꿈에 선생님이 자주 보였는데 오늘은 영 찜찜해서
OO이한테 얘기했더니, 슬픔을 가득 몰고오는
소나기 같은 이야기를 하네요. 선생님이 가신다니요.
저희 학교에 선생님 같으신 분, 정말 분에 넘치고
다시는 없을 거란 거, 저 너무 잘 알고 있는데…
학기 중에 가신다고… 정말이지 숨이 턱턱 막힐 뿐입니다.
아직도 선생님을 만나면 가슴이 떨려 다가갈 수조차 없는데…
그렇게 아직도 제 심장을 뛰게 하시는 분인데.
아이들이 하는 말… 선생님 다 아실 거라 생각해요.
하지만 강하신 분이라고 생각했어요.
아직은 어린 아이들이 아무런 생각 없이, 순간에 작은 불만으로
툭툭 내뱉은 말 따위에 개의치 않으신다고 생각했어요. 하지만
지금 와서 생각해보니 또 그게 아닌 거예요.
선생님. 어쩌면 이 세상에서 가장 여린 가슴을 안고 사시는
여자이신데 얼마나 가슴이 아프셨을까?
또 얼마나 그 여린 가슴을 움켜쥐시고 하루를 보내셨을까?...
제가 2학년 배정받았을 때, 가장 저주했던 게 뭐였는 줄 아세요?

OO이랑 같은 반 안된 거요? 제일 끝 반이 된 거요? 아니요.
선생님이 저희 반 수업 안 들어오시는 거 알았을 때, 정말이지
체념을 해버렸답니다. 어떻게 이럴 수 있냐며…
국어수업 때만 다른 반에 들어가 수업을 받고 싶은 심정이었지요.
그렇게 전 나름 저만의 방식대로 선생님을 존경해 왔습니다.
아직 15년이라는 짧은 인생을 산 저에게
이 세상 최고의 선생님을 찾으라 한다면, 전 주저없이
선생님을 찾아가겠어요.
제 평생 가슴 한 켠에 모셔 두고 살 분….
솔직히 O반 아이들이 선생님께 수행평가 점수를 항의했다는
이야기를 들었을 때 좀 많이 놀랐습니다. 학생으로서 선생님께
그런 식으로 항의를 했다는 것도 놀라웠지만, 아무리, 아무리
생각이 어리다고 해도 이건 아니라고…
각자의 실력과 능력을 바탕으로 냉정하게 평가받아야 할
수행평가인데… 그 분야에서 전문이신 선생님. 그것도
국어선생님께서 평가하신 걸 들고 항의를 할 수 있을까요?
정말 어이가 없어서…
그 중에서 저희 옛 1-O이 있었다는 사실에도 상당한 실망감을
느꼈죠. 그것도 혼자서는 아무 것도 못하는 아이들이 떼거리로
몰려와서 선생님께 그런 무례함을 행함에 있어, 스스로들은
굉장한 만족감에 젖어 있었겠죠? 자신의 능력 미달을 누구에게

시위하는 건지, 정말 알 수 없다고 생각했어요.

나에게 있어서는 도저히 가슴 떨려, 다가가 인사조차

하기 어려운 분께… 줄곧 잘 나눠 주시던 간식들을 보면,

당장이라도 달려가 나눠드리고 싶은 분께…

감히…감히 어떻게 그런 무례한 짓을 할 수 있을까요?

정말 진심으로 가슴이 아려 옵니다.

그 언젠가 교회 가는 길에 선생님과 만난 적이 있죠.

전 그날 너무 가슴 떨리고, 설레어 들뜬 마음에 예배에

집중할 수 없었어요. 그때 느꼈었죠. 난 정말 중병이라고…

아직도 잊지못해 선생님을 너무나 그리워하고 동경하는 저에게

있어, 선생님의 떠남은 정말이지 믿을 수 없는 현실입니다.

선생님.

정말 온 맘 다해 존경해 왔습니다.

선생님으로서도, 인간으로서도, 여자로서도,,,

흠조차 잡을 수 없이 빛나시는 선생님을 그렇게 저 혼자

가슴으로 존경해왔습니다.

선생님.

가끔 아이들이 생각없이 말을 내뱉어 선생님의 가슴을

아프게 한다면, 그땐 저도 한 번 생각해 주시겠어요?

그런 아이들이 있는 반면, 저처럼 선생님을 너무 존경하고

사랑해 가슴에만 모셔 두고 사는 아이도 있다는 걸…

선생님의 떠남에 있어, 정말 온 맘 다해 말씀드립니다.

아침마다 가장 일찍 학교에 오셔서 꽃을 가꾸시는 선생님.

길을 걸으실 때면 이어폰을 꽂으시고, 무슨 생각을 하실까

궁금한 선생님. 새벽까지 우리들 생각에 잠 못 이루시는 선생님.

그 여린 몸이 보는 사람을 안쓰럽게 만드는 선생님.

한 송이 꽃 같으신 선생님. 작은 간식 하나 조차도

혼자 먹기 아까워 언제나 나눠 주시는 선생님.

그 옛날 어머니께서 새로 사 주신 운동화가 젖는 게 싫어

비 오는 날, 맨발로 걸어가셨다는 로맨티스트 선생님.

수업하시는 1분 1초가 소중해 언제나 뛰어다니시는 선생님.

가장 강한 심장을 가진 분이시자, 가장 여린 가슴을 안고 사시는

선생님.

저에게 있어서는 언제까지나 가슴을 떨리게 하실 단 한 분….

OOO 선생님

정말 진심으로 존경합니다.

언제까지나 저의 이 마음 변하지 않을 거예요. 너무 흔한 노랫말

같지만… 이 말로 밖엔 저의 이 마음 표현할 수 없겠죠.

선생님,

사랑합니다.

AM 1:52

긍정적인 OO 올림.

선생님.

일년 동안 속만 썩여드리고,

저 땜에 마음 아프셨던 적도 많으셨을 거라 생각해요.

선생님 마음 다 알고 또 싫은 것도 아니면서, 괜히 한 번

투정도 부려보고 싶구 그랬나 봅니다.

이제 선생님과 한 교실에서 공부할 수는 없을지 모르지만

전 오히려 지금보다 더 많이 가까워질 수 있을 것 같은걸요.

선생님께서 저희들에게 주신 사랑만큼은 돌려드리지 못했어도

언제나 감사하게 생각하고 있다는 거, 아시죠?

선생님, 사랑합니다.

당신께선 가을날 고운 하늘만큼이나 크신 사랑으로

우리에게 아름다운 삶을 가르쳐 주셨습니다.

우리들이

당신의 언어를 이해하고 따르지는 못했지만

먼 훗날까지

우리의 하늘로 남을 당신을

얼마만큼이나 사랑하는지

당신께선 아시는지요.

만약에 네가 10시까지 온다는 소식을 듣는다면
내 마음은 8시쯤부터 즐거워지기 시작하지—.

이 글귀를 읽으면 왜 그리 선생님이 생각나는지 모르겠어요.
작문 시간이나 국어시간이 되면 괜히 기뻐져요.
아름다운 선생님과 즐거운 음악, 또 이야기들.
항상 선생님께 이쁜 모습만 보여드리고 싶은데
가끔씩 얼굴이 찌뿌려지게 되는 행동들을 제가 하는 것 같아
많이 속상하구 죄송하지만요.
아마도 어른이 될 먼 훗날쯤—
제 딸에게 O고의 아름답던 추억들을 말해줄래요.
O고에는 학생들에게 소중한 선생님이 계셨다고—
항상 아름다운 미소로, 지치고 힘든 학생들에게 용기를 주셨다고
그리고 그 선생님이 지금은 무지 생각난다고—, 말이죠.
잊지 마세요.
선생님이 속상하실 때, 그런 선생님 보며
더 속상한 저희들이 있다구요.
우리요—
웃으면서 살아요,
아주 이쁘게
사랑스런 마음 가득 담아…….

존경하는 선생님께

안녕하세요 겨울 밤이 너무 춥고 별이 아름
다워 손이 얼어져라 별을 바라보다 문득
선생님의 얼굴이 떠올라 이렇게 펜을 들었습
니다 1년은 아니지만 선생님과의 학교 생활이
너무 즐겁고 재미있고 보람있었습니다.

일주일의 한 시간이지만 문학 시간 만큼은
열심히 공부하려고 노력했습니다.

선생님 어느덧 1년이라는 세월이 가고
또 다른 2, 2의 생활을 하려고 하려니
너무 힘이들것 같아요 주말 보기 타자 자격증
따기가 너무 힘이 들어요 방학을 맞이하여
학원도 열심히 다니고 제 나름대로 공부도
열심히 하고 있습니다 선생님은 지금
무엇하고 계세요 고향에는 갔다고 오셨겠죠
올 한 해 여러 친절함을 배워왔습니다.

그리고 얼마 남지 않은 선생님과의
수업을 최선을 다해 열심히
하겠습니다 1년동안 정말로 감사했었다
아직

셋. 소식 전해요

선생님 전상서

선생님 안녕하셨습니까?

때를 잘못 찾아온 가을 덕택에 갖가지 과일이며 곡식들이

숙성돼 가는 이 밤에 별빛 쫓아 이 글을 띄웁니다.

오늘 같은 날이면 고교시절이 그리워지곤 한답니다.

입학하면서부터 찾아온 외로움이 정말로 밀물처럼 찾아들 때는

어디로든지 발길을 돌리지 않으면 안 될 정도입니다. 경북궁이며

남산이며, 한적한 열차건 교외선에 가보고, 타본답니다.

때론 종로나 대학로 같은, 전혀 재미없다고 생각했던 곳도

가보게 됐습니다. 이 때문에 서울 구경은 잘 했지만요.

정말로 교우들과 가까워질 수 없는 이유는 나이탓인가봐요.

저를 포함해서 예닐곱 정도를 제외하고는, 모두 나이가 많거든요.

군을 제대한 사람이 있는가 하면, 사십 대 중반의 직장인까지

있으니까요.

일 학기에는 동아리도 두 개나 들었었는데 차일피일 못 나가다

보니, 하나씩 탈퇴당하고 말았어요. 치사하게 제명시키길래

나머지 하나는 제가 탈퇴했고요. 어쩐지 서울년놈들에게는

정이 가질 않아요. 어쩐지 말입니다.

선생님, 추석 한가위는 잘 지내셨습니까?

저는 추석에 동창회며, 집 소일로 보내고, 마지막 일요일도 O환

이와 O규와 같이 남이섬이며 도계를 자전거 타고 빌빌거리다

하루를 보냈답니다. O환이는 학과 공부 열심이고, O규도

컴퓨터 학습에 열심인데, 저만 강의 시간에 편지 쓸 생각을

할 정도로 나태해진 것 같습니다.

가장 나다워지기를 원하던 저의 결심이 무너져가는 것 같습니다.

하지만 그럴 일은 없을 거라고, 선생님께서 소리쳐 주십시요.

깊어가는 가을밤에, 학자(學者) OO가 올립니다.

건강하시고요, 기쁘고 좋은 일은 많이,

슬프고 나쁜 일은 적어야 한다고 기도드리겠습니다.

안녕히 계십시요.

> 때를 잘못 찾아온 가을 덕택에 갖가지
> 선생님 안녕하셨습니까?
> 선생님 전상서

존경하는 OO 선생님께

너무도 보고프고, 그리운 나의 선생님,

안녕하셔요? 취업 나가기 전에 선생님을 뵙고 올라왔어야 했는데

못 뵙게 되어 무척 죄송합니다.

4교시가 끝나고, OO이랑 선생님 뵈러 갔었습니다.

그런데 그 날 선생님께서 출근을 안 하셨는지, 자리에
안 계시더군요. 아쉬움을 남긴 채 그 자리를 뜨게 되었습니다.
저는 11. 2일자로 삼성전자에 입사하게 되었습니다. 지금은
연수를 받는 중요한 기간입니다. 오늘은 정말 중요하고, 힘든
일을 했습니다. MAT 훈련을 나갔었습니다. 너무도 힘들고,
지루한 시간이었지만 많은 것을 배우게 되어, 참 기쁩니다.
너무 제 이야기만 한 게 아닌가 생각합니다.
선생님께서는 요즘 어떻게 지내셔요?
지리적으로 추운 지역인데, 생활하시는 데
불편하시지 않으십니까? 너무 걱정이 되는군요.
선생님, 항상 재미있고, 즐겁게 보내십시오.
OO는 많이 힘들지만, 항상 웃고 지낸답니다.
제가 위치하고 있는 곳, 용인 자원농원 삼성연수원에서
연수를 받고 있습니다. 저희를 담당하시는 모든 분들
너무 감사하게 생각하고 있습니다.
저희에게 항상 많은 것을 가르쳐 주시기 때문입니다.
선생님, 보고 싶습니다.
항상 건강하셔요. 시간이 나고, 제가 이곳 생활에
적응하게 되면, 시간을 내어 선생님 찾아가 뵙겠습니다.
그동안 건강하셔요.

용인에서 제자 OO 드림.

OOO 선생님 ~ ♥

우와~ 정말 오랜 만에 선생님께 편지 써요. 그동안 안녕하셨죠?
너무도 죄송하구요, 감사드리고요. 저를 기억해 주신 것,
 신경 써 주시는 것 모두 다요. 엄마께서 엽서 보시고, 너무 좋아
하세요. 너무 감사드린다고, 전해 드리라고 하셨어요.

중 1 때~ 선생님이 너무도 부러웠고, 또 많이 배우기도 했어요.
이제 금방 입학한 철없던 저보다, 어쩌면 더 이쁘고
맑은 마음을 지니고 계신 선생님.
또 눈… 훗날 제가 선생님처럼 어른이 되었을 때, 간직할 수
있을런지… 선생님으로 하여금 시도, 꽃도, 사과도,
뭔가 생각하는 진지한 마음도, 세상을 보는 눈도 좋아하고
또 가질 수 있게 되었어요. 아직도 무지 부족하지만요.

시험이 끝나서 너무 편해요. 그동안 열심히 했다고는 했는데,
결과가 많이 만족스럽지 못해요. 최초로 많이 열심히 했거든요.
누군가 시키지도, 강요하지도 않았는데 스스로 했다는 점에서
보람을 느껴요. 앞으로는 더 많은 노력을 해야 될 것 같아요.
이번 방학엔 책도, 시집도 많이 읽고, 영화 비디오도 많이 볼
거예요. 소중했지만 잊고 지냈던 사람들에게 편지도 쓸 거예요.
선생님은, 방학에 뭐 하실 거예요?

지금은요~ 토요일 1시 8분쯤. 아니 엄밀히 말하면 일요일이네요.
낮잠을 3시간이나 잤거든요. 요즘은 자도 자도 자꾸 잠이 와요.
저 혼자 집에 있어요. 원래 저도 없어야 하는데, 식구들 놀러 가
는데 왠지 집에 있고 싶더라구요. 따라 다니기도 그렇구 재미도
없구요. 머리가 컸는지, 건방져졌는지, 아님 사춘기인가?
아마 게으른 탓일지도 몰라요.

편지지가 너무 단순하고 안 예쁜가요?
겨울에 안 어울릴 것도 같지만, 푸른색이 깨끗해 보여서요.
꾸밈없이도 멋이 나는 선생님처럼요.

상담실은 예전과 같이 아늑하고 편안하고 따뜻해요.
심장의 고요한 박동 소리도 들리는 걸요.
늘 그곳엔 선생님, 모두의 눈망울에 맑은 빛을 담아 주시는
선생님이 계셔서 좋아요.

겨울이니까 당연하겠지만, 요즘 날씨가 추워요.
감기 조심하시고, 건강하세요.
늘 웃을 수 있게 좋은 일만 생기시고요.
어떤 일도 편히 대할 수 있는, 마음의 여유도……

제자 ○○올림.

선생님

따뜻한 봄 햇살이 내리쬐고 있는 요즈음에 선생님의 시간은 어떻게 흘러가고 있는지 무척 궁금해요. 어디 아픈 곳 없이 활기찬 생활을 나날이 보내시고 있을 줄로 알고 있어도 되겠죠? 선생님이 한번 앓고 나신 후 걱정이 자꾸 돼요. 비가 온 후에 땅이 더 단단해지듯이 선생님 또한 더욱 건강하셔야 돼요. 어린아이도 아닌 선생님이 부모님에게 걱정을 끼쳐드려서야 되겠어요?

참! 새 학기 생활은 재미 있으세요?

저는 요즈음 제가 너무 많이 생활에 힘들어 하는 것 같고, 무엇을 어떻게 해 나가야 할 지 갈피를 못 잡겠어요. 직장 생활도 힘에 겨울 때가 많지만 극복하려 노력하고 있거든요. 그런데 선생님, 제 자신의 생활을 찾지 못하고 있어 안타까워서 못 견디겠어요. 제가 너무 쓸 데 없는, 괜히 선생님 신경 쓰이게 하는 것 같아서 죄송해요.

제가 이제 고등학교 입학해서 선생님하고 오랜 학교 생활했으면 하고 바랄 때가 많아요. 학문이 부족한 것도 사회 나오니 너무 후회가 많아요. 앞으로 더욱 노력해야겠지만요.

선생님, 힘내시고 저도 힘낼게요.

다시 연락 드릴게요. 할 말은 많은데……

- 할 말을 못다한 OO이.

오랜 만입니다, 선생님

안녕하세요?

한 해가 저물어 가는 이 시간에

선생님은 지금 무엇을 하고 계실까요?

뵙고 싶습니다.

전화로 들은 일이 거짓이 되면 얼마나 좋을까요?

건강은 어떠하신지요?

제가 선생님을 아주 막 때려주고 싶어요.

왜 제 속을 썩이는 거예요? 저에게 힘이 되어 주셔야 할

선생님이 지금 어디에 계시는 거예요? 네?

아무튼 새해에는 모든 일이 잘 되었으면 좋겠어요.

12월 초에 전화 했었는데, 선생님이 1월 중순에 오신다는

소식을 들었거든요. 아무튼 빨리 고국에 돌아오셨으면 좋겠어요.

그리고 그동안의 소식도 전해주시고요. 아셨죠?

제가 다시 연락드릴게요.

선생님!

사랑하는 제자가 곁에 있다는 것 잊으시면 안 돼요. 아셨어요?

선생님을 사랑하고 존경해요.

걱정하지 않아도 되는 거죠?

○○이가.

그리운 선생님께

안녕하세요? 지금은 봄비가 요란스럽게 내리는
4월의 마지막 밤입니다. 5월이 오기를 재촉하는 듯…
요사이 비소식이 잦은 것 같기는 하지만, 나름대로 저에게
무엇인가 생각할 수 있게 해주는 것 같아 좋습니다.
선생님, 가실 때 뵙지 못해 너무 서운했어요. 선생님께서
어느 학교로 가셨는지 모르기에, 집으로 보내는 거예요.
지난 주엔 체육대회가 있었어요.
저희 4반이야 뭐, 작년만큼 악착스럽게 했지만, 일등은
못했어요. 다음 주엔 중간고사가 있어요. 3학년이라는 것을
실감하지 못하고, 하루 하루 시간만 보내는 듯싶어요.
모의수학능력 시험을 보았거든요. 전문대 갈 점수도 나오지
않았어요. 선생님 계실 땐, 속상하고 답답하면 선생님 찾아가
다 털어놓고 얘기하고, 아주 좋았는데...
지금은 저의 말을 그렇게 귀담아 들어줄 사람이 없어요.
서로 자기 일에 바빠서, 다른 친구 생각할 겨를이 없나 봐요.
선생님은 어떻게 지내세요?
이곳보다 그곳의 생활은 어떤지, 그곳 친구들에 대한 인상은
어떠한지, 선생님의 건강 등 모두가 다 궁금해요.
얘기해 주실 수 있지요?
지금은 선생님을 만날 수 없지만, 졸업하고 나면 자주 찾아

뵐 수 있기를 희망하고, 또 그렇게 되리라 생각해요.

예전 저희들 앞에서 작고 나약해 보이는 체구를 가지고도
당당하고 대담하게 소리 내시던, 선생님 모습이 선해요. 왠지
선생님에겐 강한 인상이 있는 것 같거든요.

요즘 친구들 얘기해 드릴게요.

OO는 요즘도 남자가 손에 꼽지도 못할 만큼 많구요. 자취방도
옮기고, 아르바이트도 구하고, OO는 머리 짧게 자르고 공부
시작 했구요. OO이, OO는 예전과 다름없이 명랑해요.

OO이는 요즘 저와 더 많이 다투기는 하지만, 공부에 몰두해
있어요. OO이는 안경을 썼어요. 시력이 나빠졌나 봐요.

요즘 제가 감기에다가 몸살까지 겹쳐서 고생이거든요.

선생님, 무엇보다 건강이 중요한 것 같아요.

첫째도 건강, 둘째도 건강! 선생님도 잊지 마세요.

그리구요. 저희 모두 다, 선생님 연락 기다리고 있어요.

저희들 얼굴 생각 나시지요? 그 중 특별하지 않았던, 저의
얼굴은 기억 속에 아련히라도 남아있을 런지 의심스러워요.

선생님에 대한 인상, 기억 모두는 저에겐 아직도 생생해요.

자주 소식 전하지 못해 항상 죄송해요. 그러나 선생님의 은혜,
잊지 않고 있습니다. 감사합니다!

> — 멀리서, 그러나 마음 가까운 곳의
> 작은 숙녀, OOO 올림.

사랑하는 OOO 선생님께

안녕하세요? 저 OO예요.

그동안 어떻게 지내셨는지, 갑자기 연락이 끊겨서 놀랐어요.

혹시 몸이 편찮으신 건 아닌지, 걱정도 많이 됐구요.

별 일 없으시죠? 그러길 바랄게요. 저는 잘 지내고 있어요.

2/12일에 졸업하고, 3/3일이면 고등학생이 돼요. 세월 참 빠르죠?

중학교 갓 입학해서, 선생님 계신 상담실에 들락거리던 일이

엊그제 같은데, 벌써 고등학생이라니… 좀 놀라워요.

학교는 집 근처로 됐는데, 신설이라 좀 불안하긴 하지만,

나름대로 열심히 꾸려나가보려구요. 선생님께서는 아직

OOO중에 계신지? 정말 죄송해요. 한 번도 찾아 뵙지 못하고….

그래도 하루에 한 번씩은 꼭 선생님 생각해요. (히~)

요즘은 자꾸 저 스스로에게 자신이 없어져요.

열 일곱이 되도록 준비해온 것도 없다고 생각하니, 목표도 너무

큰 건 아닌지 걱정도 되고. 남들은 막힘없이 전진하는데 나 혼자

제 자리에 있는 것 같아, 어떡해야 할 지도 모르겠어요. 특기란에

적을 만한 재주도 없고, 다시 시작을 준비하여 나름대로,

"이런 나라도 노력하면 된다", "소신 있게 살자" 라며, 다짐도

하지만, 끝은 항상 같더라고요. 너무 한심하죠?

짐이 이렇게 무겁게 느껴지다니, 아직 어린가봐요….

앗! 죄송해요. 너무 헤펐죠?

그렇지만 걱정 마세요. 엄살 부리는 걸지도 몰라요.

OOO는 강하니까. 그리고 제겐 무엇보다

든든한 선생님이 계시잖아요? 맞죠?

선생님. 항상 말하는 거지만 건강하시구요.

행복하세요.

참! 정말 사랑해요.

OO올림.

선생님께.

아침 후식으로 사과를 가져왔는데,

문득 선생님께 드리면 좋겠다는, 생각이 들어서

짧은 편지와 함께 드려요.

날씨가 많이 선선해져서, 요즘은 공부도 잘 되는 것 같아

학교 생활이 즐겁습니다.

사과 맛있게 드세요. ~

1-9, 000 드림.

참! 선생님. 저 어저께 농구공 샀어요.

Dear OOO 선생님!

별빛이 밝게 웃고 있는 아름다운 밤에,

선생님 얼굴을 그려봅니다.

OO이는 선생님께서 선생님 자리에 앉아 계신 모습이 굉장히

보고 싶었는데 오늘은 실제로 뵙게 되어 기분이 무척 좋았답니다.

선생님의 미소와, 조용하지만 명랑함이 담겨 있는 목소리에

신났었지요.

OO이는 방학엔 계속 Pen Pal로 알고 지내오던 O아와 만났어요.

여름 방학에 만나고 이 번이 두번째인데, 항상 함께 놀던

친구처럼 부담이 없고 명랑하고, 저와 뭔가 통하는 소녀였어요.

파일을 사러 갔는데, 아저씨께서 우리 보고 자매 아니냐고

물어보셔서, 정말 많이 웃었어요. O이와 나랑 어딘가 모를

공통점이 있나 봐요. 이곳 저곳 다리 아프게 다녔지만, 한 번도

피곤하다는 생각해 보지 않았는 걸요.

그리고 특별한 일은 없었어요. 친구들과 편지 쓰고 책 읽고, 음악

듣고, 보충수업 듣고…. 아 참! 1月부터는 컴퓨터를 배웠어요.

아직 한 달도 채 못 됐지만, 꾸준하게 노력하고 있어요.

오늘은 학원에서 문제가 풀리지 않아 계속 물어보다 오빠한테

혼났어요. (큰오빠는 정보처리 2급을 따고 강사도 했었는데,

지금은 대학(전문대) 1년 다니다 휴학계 내고, 방위 받고 있어요.

하지만 시간 나는 대로, 학원에 와서 학원 일도 도와주곤 하죠).

오빠의 주장은, "문제는 네가 풀어야 한다. 남이 풀어주면
넌 결코 그 문제를 너가 얻지 못할 것이다…. "
옳은 말인데, 약간의 자존심이 기분을 상하게 했어요.
홀로 무거운 가방을 동무 삼아 집을 향하며 많은 생각을 했죠.
'그래, 그건 내가 풀었어야 했어. 문제가 풀렸지만 결코 나의
실력은 늘지 않아. 한 문제를 풀더라도 끝까지 물고 늘어지자.
행복은 내가 만드는 것이라면 이 정도는 너가 약간의 생각을
하면 풀리는 것인 것…. 자꾸 남에게 의지한다면, 나 자체는
소멸되어간다'는 생각과 '뚜벅뚜벅' 소리가 뒤범벅이 되었고,
아무도 지나지 않는 길에서 조용하게 노래를 부르며, 별님을
보았어요. 어린 아이처럼 날 보며, "열심히 노력해!" 하더군요.
선생님! 전 오빠에게 지지 않을 거예요.
꼭 오빠보다 월등한 성적으로 컴퓨터를 배울 것입니다.
한편 약간의 화를 냈던 내 자신이 가여웠어요 (아무리 풀어도
답이 나오지 않으면, 못 참는 성격이기 때문에 화를 내었을
거예요). 집에 오니, 기운이 없었어요.
문득 선생님께 펜을 들고 싶었어요. 高 2가 되어도 선생님께
편지 쓰고 자주 찾아가 뵙고 싶어요. 실현될 수 있을지는
모르지만, OO이는 언제나 선생님을 생각할게요.
오늘 밤엔 많은 사람에게 소중한 이야기를 나누고 싶어요.
행복하지만 행복을 느끼지 못하며 살아가는 벗에겐,

친구를 알면서 느끼는 행복을 느끼게 해주고,

선생님께는 나의 작은 이야기로 기쁨(행복)을 드리고 싶어요.

전 글을 쓰면서 생각합니다.

'난 나의 소리를 들어줄 이들이 있어 행복하다' 라고 말입니다.

선생님! 건강하세요.

많이 잡수시고, 많이 웃으시고, 우리 학교 소년 소녀의 고민을

함께 해주세요. 선생님의 낙관적인 사고를 많은 이를 위해,

공작이 날개를 활짝 펴듯 펼쳐보세요.

많은 청소년의 기억에 오래오래 남으실 수 있을 거예요.

사랑을 주는 건, 사랑을 받고 있다는 증거가 아닐까요?

일기장에 선생님 이름으로 가득 메꾸어 보려 합니다.

시계도 졸고 있는 밤, 선생님 생각에 펜을 놓습니다----

선생님의 웃음을 좋아하는 OO.

■ 선생님의 다짐

- 밥 많이 먹겠습니다.

- 아이들에게 더욱 많은 사랑을 전하겠습니다.

- 아프지 않고 건강하겠습니다

- 다시는 아이들 곁을 떠나지 않겠습니다.

- 가르침에 충실하겠습니다

- 삶을 사랑하겠습니다.

- OO이와 더 친해지겠습니다. Hi Hi Hi~~

선생님께.

선생님, 저 지금 무지 다리가 아파요.

소풍 갔다가 지금 막 왔거든요.

그래도 선생님께 이야기를 해드리고 싶으니까 힘을 낼래요.

소풍 가서 놀이 기구는 하나도 안 타고 동물만 보다 왔어요.

그 중에 돌고래쇼는 너무 귀여웠고,

기린이 걷는 모습은 '라이온 킹'을 연상케 했어요.

대공원에서 선생님을 찾았는데 보이지 않던데요.

전화번호도 모르고 너무 속상했어요.

그래서 이렇게 pen을 들게 되었구요.

선생님. 대공원의 나무들은 너무 이쁘게 물이 들어 있었어요.

마냥 한 곳에 앉아서 하늘도 보고 새소리, 물소리도 듣고

단풍도 주웠어요.

그러고 있으니까 꼭 내가 딴 세상에 온 것 같더라구요.

선생님. 제가 가져온 단풍잎을 선생님께 드리고 싶어요.

이쁜 단풍잎만큼 선생님을 (♥)하는 제자 OO 이가.

↑

세상에서 가장 이쁘고,

좋은 말만 다 넣어주세요.

10.14. p.m. 7:30에.

선생님,

푸른 하늘과 흰 눈이 쌓인 벌판에, 아이들 얼굴을 그려봐요.

물론 선생님 얼굴도요.

몸은 건강하시겠죠? 언제나 선생님을 보면 걱정돼요.

저는 그래도 살이 좀 찐 편이에요. 그런데 선생님을 보면,

제가 더 더욱 살이 찐 것 같아요.

선생님, 겨울방학 동안 많이 드시고, 푹 쉬시고,

몸 좀 건강해서, 저희들 더 열심히 가르쳐 주세요.

바람이 너무 찬데, 감기 조심하시고요.

아 참! 그리고 '홀로서기2'는요, 제가 좋아하게 된 시예요.

저는 자랑할 것이 없어요. 저를 두고 지은 시 같아서 좋아해요.

선생님,

무엇을 좋아하고, 누구를 좋아하는 것은 참 좋은 것 같아요.

선생님도 좋아하는 것, 좋아하는 분이 있으시겠지요?

선생님, 방학 즐겁게 지내세요.

그럼 이만. 안녕히 계셔요.

1학년 ○반 ○○○ 올림.

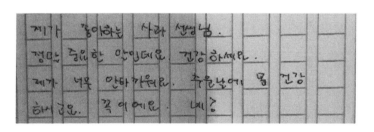

Dear OOO선생님께!

밤비가 조용히 온 세상을 깨끗이 청소해 주고 있고,

옆에는 기차소리가 울려 퍼지는, 멋있는 하루를

선생님께서는 어떻게 보내고 계시는지 궁금합니다.

선생님을 따르던, 또 선생님을 아주 좋아하던 OO이가

이제야 글을 올리게 되어 많이 죄송한 마음을 함께 실어봅니다.

선생님, 건강은 어떠세요?

한 번 찾아 뵙고 싶었지만, 학생이라는 틀에 매여,

이 핑계 저 핑계 대다 보니, 이렇게 마음만 전하게 되었습니다.

요즘에는 학교에서 풍물놀이를 배우고 있어요.

저는 북, 징, 꽹과리, 징구 中 꽹과리를 치는 소녀랍니다.

얼마나 경쾌한지 매일 그 시간을 기다리게 된답니다.

오늘은 춤을 배웠는데, 얼마나 열심히 했던지 등줄기를 타고

구슬땀이 흘렀습니다. 실수도 많이 했지만, 그렇게 할수록 더 많

은 웃음을 터트렸고, 더 오래 기억을 하게 되었습니다.

선생님 건강이 빨리 회복되어 강당 안을 함께 뛰고 싶어요.

아침 일찍 학교에 가면 국화를 보러 갑니다 (4H에서 국화

심었던 것이 어느새 꽃이 피었어요. 얼마나 예쁜지 모른답니다).

국화를 보면서 그동안 국화에 쏟은 정성의 보람을 느끼고

있노라면 신선함이 코를 찌릅니다. 기분 좋은 하루가 꽃과 함께

시작되어 타자실로 향합니다.

새로 오신 국어선생님은 남자분이신데, 재미도 없고, 오직
진도만 나가요. 아프면 자라, 자고 있으면 깨우지 마라.
밥을 먹어도 그냥 놔두고, 떠들어도, '조용히 해' 한 마디도
안 하셔요. 그래서 모두 국어시간을 싫어해요. 다른 숙제도
하면서 한 시간을 허비해요.
선생님과 함께 지낼 땐 정말 재미있고 할 것도 많고…
요즘엔 선생님이 너무 그리워요. 모두들 선생님을 그리워해요.
선생님의 교육방침은 참 국어 교사의 가르침이시고, 용기를
심어주는데 큰 도움이 됩니다.
방학 때 병원에 입원했던 OO이도 전학 간다더니, 우리 반을
잊지 못하고, 다시 함께 생활을 하고 있습니다. 선생님께서도
빨리 우리와 함께 하시리라고 믿고 싶습니다. 아니, 믿겠습니다.
선생님이 너무 보고 싶고, 하고픈 이야기도 산더미처럼 있지만,
선생님께서 오시면 자랑하려고 깊이 간직하고 있습니다.
저의 따발총 이야기를 듣고 싶으시면 빨리 오세요.
계속 반복되는 하루하루가 따분하고 신경질 나시겠지만,
낙관적으로 생각하시는 모범적인 선생님이 되시길 바라며---
지루한 병원 생활이지만 즐거운 하루하루가 되시길 바랍니다.
다음에 편지할게요.

                                        OOO 올림.

사랑하는 OOO 선생님께.

안녕하셨어요? 저는 잘 있습니다.

그동안 연락 못 드린 점 죄송해요. 한동안은 맹장수술로

병원에 좀 있었구요. 한 동안은 시험이어서……

벌써 새해가 돌아왔어요.

신입생이란 것도 잘 느껴보지 못하고, 수원 와서 허둥지둥

지낸 거 같아요. 새해부터는

몸과 마음을 다 깨끗이 하고, 노력하며 살아야겠어요.

선생님,

앞으로 계속 발전하는 OO 모습, 계속 지켜봐 주실 거죠?

선생님, 새해에도 건강하세요.

새해에는 선생님 얼굴 한 번 뵙고 싶네요.

또 연락 드릴게요. 안녕히 계세요.

　　　　　－선생님을 사랑하는, OO 올림.

선생님께

정말 오랜 만에 인사드리는군요. 그동안 안녕하셨습니까?

가끔 작년, 올해 졸업한 아이들을 보면 교복을 입은 제가

한심스러울 때가 있어요. 그러다 바쁘게 쫓기는 그들을 보면,

교복이 굉장히 이뻐보여요. 그럴 땐 학생이 좋아요.

벚꽃이 피었을 때 시험이 시작되었는데 시험과 함께 모르는

사이에 열매로 바뀌어 버려 참 안타까워요.

지금은 아주 조용해요. 시계 초침소리만 들리고, 멀리 개 짖는 소

리도 들려오죠. 이렇게 조용할 때 아무 격식, 부담없이 쓰는

편지가 좋네요. 아무 격식, 부담없이 편지를 쓸 수 있고,

읽어 주길 바라는 사람은 오직 한 사람뿐이거든요.

어제 소풍 가서도 꿰다논 보리자루처럼 앉아있던 모습이

생각만 해도 우습네요. 희망탑 아래 앉아서 5월 따뜻한 빛을 쪼

이면서, 자고 싶다는 생각을 했어요.

그러고 보니 생각나는 게 있네요.

화장실에서 거울을 보고 있는데, 노래를 흥얼거리는 학생의

소리를 들을 수가 있었어요. 화장실에서도 노래를 부를 수 있다

는 생각이 참 기분 좋더라구요. 듣는 사람이나 부르는 사람이나.

용기를 내어 또 다시 편지를 올리는 이 제자에게

항상 따뜻하게 해 주셔서 감사합니다.

제자 OOO 올림.

언제나 다정하시고, 따뜻한 말을 나누어 주시는, OOO선생님께

안녕하세요.

어느 날보다도 아름다운 별빛이 비추어지는 깊은 밤입니다.

제가 펜을 잡았을 땐 아무런 의미도,

생각도 없이 낙서를 했었습니다. 문득,

지워 버릴 수가 없었던 OOO선생님의 모습이 떠올라

몇 글자 쓸까 합니다.

왠지 죄송하기만 합니다.

저의 자신 없는 탓일까도 생각해 봤지만 그렇지가 않은 것

같더군요. 너무 소극적인 태도였을까? 생각해 봅니다.

저는 선생님의 좋은, 다정한 한 제자로 남고 싶습니다.

그러기 위해선 저 자신이 노력을 열심히 해야겠죠?

물론 선생님께서 지켜봐 주시는 거죠?

여름의 무더위가 더 극성을 부릴 것 같아요.

피서는 가셨는지요?

저는 제일 안전한 피서를 집안에서 보내고 있어요.

물론 예전처럼 건강하시고 행복하시겠죠?

처음으로 밤하늘을 바라보며 걸어봤어요.

참으로 아름다웠어요.

어디에선가 선생님도 별들을 보시고 있을 것 같은 느낌이 들어요.

왜 저는 그리도 많은 수업 시간에 열심히 듣지 않았는지
모르겠어요.
선생님은 이런 학생들을 바라보시면서 속상해 하셨으리라
생각하니, 너무 못된 사람이 되는 것 같아요.
저는 선생님의 수업 방법이 신선하면서도 꽤 재미있고 좋다고
생각했지만, 그리 좋게 맘에 와닿진 않았는데, 지금 생각하니
감사드리고 싶어요.
지금은 이렇게 반성을 하고 있지만,
언제 마음이 흔들리게 될 지는 모르겠어요.
언제나 선생님을 존경하며, 따르고 싶어요.
방학 동안에 많은 독서도 하고, 열심히 공부도 하려합니다.
선생님께서도 바쁜 하루 하루를 보내시고 계시겠죠?
개학하는 날, 건강한 모습으로 웃으면서 다시 뵙겠습니다.
그동안 행복하게 지내셔요.
그럼,
안녕히 계셔요.
"행복스러운 밤인 듯 생각이 드네요.
좋은 꿈 꾸세요."

열심히 노력하는
OO 올림.

선생님.

휴식이라는 시간을 적절히 이용하지 못하고, 뒹굴며 많은 것을
생각합니다. 사람들과의 관계를 생각하면, 불분명해 싫어지고
배움을 생각하면, 힘들다는 것을 느끼고……. 언제나
이런 것들의 끝은 누군가에게 말해버리고 싶다는 것이었죠.
시작이라는 의미에는 끝이라는 말이 덧붙여지고, 끝에도 시작이
따라오는데, 그 둘 모두 불안을 느끼고 있는 것은 웬일인지.
그럴 땐 한없는 우울 속으로 잠깁니다.

현대의 청소년 같지 않고, 생각을 많이 한다는 자체에 힘없는
스스로를 다시 확인하고, 우울 속으로 빠뜨리는 감정을 느끼며,
밤을 새우고 맞이하는 푸르스름한 새벽을 그리워합니다.

경험해 보셨습니까? 마음의 고민을 털어버릴 수 있는 사람을
늘 가까이 두고, 마음을 털어놓고 싶습니다. 이것이
젊은이들만의 특권은 아니겠지요? 그리고 젊은이들만 이러는
것도 아닐 테지요. 어떤 작가는 삶의 진실은 사랑이라고 했지요.
쓸쓸하면서도 즐거운 일. 감히 사랑이라고 말할 수 있는 고민을
해보고 싶고, 편안한 사람이 되어 보고도 싶습니다.

그 작가는 스무 살을 중병처럼 앓았다고 했습니다.

스물. 환상이 시작되고 기대되고 스스로를 책임져야 하는
16살보다 더 실제적인 그 나이가 된 지금,
잔잔한 파도가 일렁거리는 느낌을 어떻게 다스려야 하는지

시간나는 대로 헤매다 어제, 올해 처음으로 일기를 썼습니다.
일기를 쓰고 난 후에 본 하얀 편지 봉투 위에 작은 단풍잎.
유난히 하얀 편지 봉투 속에 내용과는 다른 모습.
활달하고 솔직한 모습을 아는 사람들은 가족뿐인 저에게
마음을 터놓고 싶은 사람이 있다는 것은, 짧은 시간이지만
선생님과 저의 공통점을 찾는 데 있을 것입니다.
상대의 말에 꼭꼭 대답해 주시는 것과
특히 '자네'라고 부르시는 것이 남자 같지만 무척 좋았고,
연약하면서도 강인한 여자의 모습을 잘 보여주셨어요.
닮아가고픈 사람이었죠.
뭔가 좋은 일이 있을 것 같았습니다.

OOO 올림.

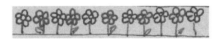

푸르름에 싱그러운 자연보다 더 빛나는 OOO선생님께
안녕하세요? OO예요. 편지가 많이 늦었죠?
제가 있는 이 곳은 아직도 시골이에요. 맑은 공기와 하늘,
푸르름이 싱그러운 이 곳을 전 무지 좋아하거든요. 그래서
이 번에는 맘 먹고 내려왔어요. 선생님은 어떻게 지내세요?

여행이라도 다녀오셨는지. 전 여행을 무지 좋아하거든요.

더 많은 세상과 접한다는 건 무척이나 아름다운 일이라 생각하거든요. 지금 제가 있는 이 곳도 그 중의 한 곳이라 생각하며, 많은 걸 접해볼 생각이에요

선생님, 항상 느끼는 거지만요.

전 선생님 같이 되고 싶어요.

세상의 중요함을 "건강한 몸, 건강한 마음에" 둔다는 건 그만큼 마음의 깨끗함을 보여주는 게 아니겠어요? 정말 존경해요.

이번 방학 숙제 중에서 시화가 있어요.

시, 그림 둘 다 걱정이지만, 시골에 있는 동안 많은 생각을 해볼려고요. 시란 마음의 소리라고 생각하거든요.

시가 다 되면 맨 먼저 선생님께 보낼게요. 못 지었더라도 이해해 주세요. 어제 언니가 방학 해서 선생님 편지도 갖다 주고, 시도 도와줘서 조금은 괜찮을 거 같아요.

참! 머리를 잘랐어요. 컷트로요. 작년에 그렇게 잘랐다가 많이 길렀는데, 어젯밤 언니가 자른다는 말에 솔깃해서 한 번 잘라봤는데, 오랜 만이라 좀 어색하게 느껴져요.

어! 너무 말이 길어졌죠?

왠지 선생님과 있는 느낌이 들어서, 너무 많은 이야기를 했네요.

그럼, 몸 건강히 계세요.

자연의 아름다움에 기쁜 OO올림.

Dear OOO선생님께

아름다운 말과, 아름다운 음악, 그리고 아름다운 선생님,

선생님…

밝은 해님이 내일은 고개를 들어 세상을 비춰 주시겠죠?

며칠 동안 시원스레 비가 내렸습니다. 안녕하세요?

"반갑다" 하시며, 이 글을 손에 들으셨으리라 생각하니,

OO이는 무척 기뻐진답니다.

요즘엔 선생님처럼 "…구나" 라고 말씀하시는 분이 없어요.

그래서 선생님이 무척이나 그리워진답니다.

선생님, OO이 모습 생각 나세요? 전 선생님 모습이 아주

생생하게 떠올라요. 학교에서 오늘 뵙고 온 것처럼 말이에요.

저희 집 이사했어요. 지금 이 곳은 제 방이랍니다.

거실엔 카나리아가 한 마리 있어요. 선생님께서도 좋아하시죠?

얼마나 귀엽고 예쁜지 몰라요. 단지 새장 안에 있다는 게

불쌍할 뿐이랍니다. 그런데 거실에 놔서, 먹이 '좁쌀'을

바닥에 모두 떨어 버려서 청소하느라 골치 아파요. 그래도

지저귀는 노래 소리 들으면 다시 웃어버리고 말아버린답니다.

저 번에 본 시험성적이 형편없이 떨어지고 말았어요.

이젠 제 자리를 찾기 위해서 노력할게요.

아 참! 저도 대학에 진학하고 싶어졌습니다. 소중한 시간을

맹목적으로 보내기가 싫어서요. 그리고 선생님처럼, 아이들을

사랑하고, 슬픔과 아픔 함께 해주시는 그런 선생님이 되고
싶어요. 이제 와 대학의 문턱이라도 서고 싶어하는 것이 잘 된
생각인지 모르겠습니다. 이제 약 70일 넘게 남았는데, 너무 늦은
것 같아 불안함이 떠나지 않습니다. 하지만 선생님께서,
"OO아, 너의 꿈과 이상을 향해서, 최선을 다하는 소녀가
되려므나!" 하실 것 같아서, 용기 내서 시도해 볼 거예요.
선생님,
선생님께서 이 곳에 함께 하셨다면, 이럴 땐 찾아가서 상담도
하고, 즐거운 이야기도 나누고 싶었을 거예요. 하지만 高 2때
제가 선생님께 너무 소홀했기에, 어쩌면 이렇게 멀리 떨어진
곳에서 제 고민과 삶의 이야기를 작은 종이에 담아 띄우는 것이
더 큰 행복일지도 모른다는 생각이 들어요.
OO이는 언제나 선생님을 사랑해요.
이제 1년 후면, 제 모습은 아주 다른 모습으로 변화되어 있겠죠?
그 땐 선생님께 부끄럽지 않은 모습으로 뵐 수 있게 되었으면
좋겠어요.
벌써 지면이 다 없어져 가고 있습니다.
언제든 선생님을 뵙게 되면 살도 찌시고, 건강하신 모습으로
밝게 웃어주셨으면 합니다 (상상할 수 있어요~~~).

선생님을 사랑하는 많은 제자 중

OO이란 소녀가 행운의 미소를 띄우며.

E.T. 선생님께.

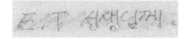

선생님 안녕하세요?

오늘은 정말 즐거웠어요. 맛있는 고구마, 새우깡, 율무차, 라면

정말 무지무지 맛있었어요.

선생님께서 며칠 동안 안 나오셔서 좀 걱정이 되었어요.

친구들도요.

E.T.선생님 안 오신다며, 이야기를 많이 했어요.

국어나 문학이 들으면 오셔도 우리 반 수업 다 끝나면

왔으면 하는 생각도 들었어요.

근데 오늘 아침에 선생님을 보게 되니, 참 기뻤어요.

성격이 내성적이라 아이들 많은 곳에 나가는 것은 싫어하지만,

이런 시간을 갖게 되어 정말 좋아요.

선생님,

저희 내일 생활관 가는 날이거든요.

제가 의젓한 모습으로 선생님 앞에 서서 절해도 되지요?

절하다가 엎어져도 웃으시면 안 돼요. 알았죠?

선생님, 정말로 사랑해요.

또 으휴! 커다란 게 징그럽다고 그러시는 거 아니죠?

그래도 난 선생님이 좋아요.

OO.

OOO 선생님께

출근길부터 웃겼던 하루였어요.

인천에서 전철을 타고 깜빡 잠들고 말았는데, 눈을 떠보니까 '남영'이었어요.

빨리 내려서 차를 갈아타고, 대방에 내려서 걸었는데, 내리쬐는 따가운 햇빛도 아랑곳하지 않고 신나게 걸었어요. 그래도 20분 정도 일찍 도착했어요.

오늘은 정말 무더운 날씨라는데 사무실에 앉아있으니까 에어컨 바람 때문에 더운 줄도 모르겠어요.

어떻게 생각하면 이런 생활은 편하지만, 제가 가여워지는 것 같아요. 더울 땐 더위와 싸우고, 추울 땐 추위와 싸워야 여름과 겨울을 느낄 수 있을 테니까요.

오늘은 OO이가 놀러 오기로 했어요. 그래서 기분이 너무 좋아요. 벌써 5시가 되어 가고 있어서 OO이가 얼마나 더 예뻐졌을까 하는 생각에 기대가 커요.

선생님께 빨리 놀러가야 할 텐데…… 제가 OO이한테 선생님께 갈 때 함께 가자고 했더니, 좋아서 펄쩍펄쩍 뛰어요.

선생님, 이건 비밀인데요…

내일 O희, O숙, O희 O란, 이렇게 넷이 11時 밤기차를 타고 동해 바다를 향해 떠나요.

저 번 달부터 기차표 예매해뒀거든요.

하지만 부모님께는 말씀드리지 않았어요.

여자친구들끼리 간다고 하면 결사 반대하실 게 뻔하거든요.

지금까지 여행을 많이 다니고 싶었어도 꼭 허락이 안 떨어져서 혼자 못 갈 때가 많았거든요.

선생님, 나쁜 짓일까요? 하지만 이런 추억도 만들어보고 싶어요.

밤기차 타고 가면 새벽에 동해에 도착해요.

그럼 바닷가를 거닐다가 해 뜨는 것도 사진에 담아보고 싶고,

아직 피서객이 없는 넓은 모래사장에서 뛰어다녀보고도 싶어요.

사진 많이 찍어서 선생님께도 보내드릴게요. 선생님께서도 함께 가시면 좋을 텐데……

다음에 기회 봐서 계획을 세워보면 어떨까요?

가을 or 겨울 언제든지 즐거운 여행이 될 테니까요. 그러니까 선생님께서는 항상 건강하셔야 해요.

그래야 언제든지 갈 수 있을 테니까요.

선생님, 아직 결혼 계획 없으세요?

선생님 닮은 예쁜 딸이 있어야지 제가 예쁜 인형이랑 예쁜 핀이랑 귀여운 양말 등등을 사줄 거 아니예요?

상상만 해도 예쁜 아긴데요.

선생님보단 살이 쪘어요 (통통하게요~ ^^)

동해에 무사히 다녀와서 다시 소식 띄울게요.

OOO 올림.

선생님!

십자가 위에 살포시 내려 앉아 평화의 기도를 올리는 지금,

어둠 속으로 달이 구르고, 별이 빛나는 밤입니다.

안 녕 하 세 요?

거리를 질주하는 이슬방울. 우리의 노래를 읊는 계절.

가을 여명을 풀어내는 새벽, 종소리의 파문이

막다른 골목을 들어섭니다. 마주친 바람처럼 살며시 왔다가

훌쩍 떠나가는 계절 속에, 우리들의 이야기를 뿌려봅니다.

2학년 O반 OO예요. 기억하시겠지요? 1학년 때 O반이고요.

학교에서 선생님과 마주치면 매일 인사만 하고 …

이야기도 주고받고 싶었는데…….

선생님은 저희들의 마음을 그 누구보다도 더 잘 아시는 분이라고

생각해요. 선생님은 꼭 저의 모두의 언니 같아요.

지금 상업과를 안 가르치시기 때문에, 선생님과의 사이가

멀어지는 것 같아요.

선생님.

2학년 O반으로 자주 놀러 오세요. 저희는 언제나 환영입니다.

방학 동안에 선생님은 무엇을 하시나요?

저는 학원 다니느라고 너무 힘들어요. 하지만 노력한 만큼 그 대

가는 돌아오는 법이니까요. 열심히 최선을 다해서 공부할 거예요.

선생님께 할 얘기는 많았는데, 오늘은 왠지 다른 날보다

피곤해요. 글씨가…… 죄송해요.

선생님! 선생님의 가르침을 실천하며 사랑, 근면, 진실 가운데
늘 푸른 나무처럼 싱싱하게 살아가는 저희들이 될 것을
다짐해 봅니다. 항상 행복의 천사가 함께 하시고
앞으로 더욱 존경받으시는 선생님이 되시기를 바랍니다.
건강하시고, 남은 방학 잘 보내세요.
안녕히 계세요.

- 선생님을 사랑하는 OO 올림.

선생님께

선생님, 그동안 어떻게 지내셨어요?

시험을 끝내고 기말고사가 있어 좀 바쁘게 지내다가, 얼마 전에
끝나 오늘까지 목적 없는 인생을 살았어요. 그러나 내일부터는
목적 있는 인생을 살 거예요. 성철 스님은 게으른 자를 무척
싫어하셨대요. 어느 누구나 게으른 자를 좋아하지는 않겠지만,

확고한 신념, 그리고 뚜렷한 자기 의견을 가지지 못한 저에게는,
이런 유명한 분들의 말씀이 많은 영향을 미치는 것 같아요.
이런 것도 일시적이겠지만······

오늘 저는, 저를 미워하도록 어떤 사람을 만들어 버렸습니다.
남이 저를 싫어하는 것은, 견딜 수 없는 저 자신의 미움을
만듭니다. 그 사람이 미운데도 그 사람이 저를 싫어하는 것은
참을 수 없는 게 인간의 이기심이겠지요. 저는 항상 후회해요.
크면 나아질까요? 벌써 다 큰 거나 다름없는 제가 이런 말을 한
다는 것, 역시 전 크려면 멀었나 봐요.

선생님. 그곳 학교 생활은 어떠세요?
남학생들만 있는 학교는 어떤 분위기일지 궁금해요. 학교의
위치가 OOO고만큼은 못할 것 같아요.

선생님. 마음의 건강에 좋은 곳은 시골이 아닌가요?
시골이라는 표현이 좀 잘못된 것 같은 느낌이 들지만,
선생님은 자연과 함께 할 수 있는 곳이 무척 어울려요.

이야기 주머니가 점점 사라지고 있는데, 선생님에게 무엇보다도
강조하고 싶은 것은 건강입니다. 건강을 잃는다는 것은,
그 사람의 모든 것을 잃는 거나 다름없다는 것을 알고 계시죠?

선생님. 건강하게, 활기차게 하루하루를 생활하시길 바랄게요.
이만 줄이겠습니다.

제자 OOO 올림.

선생님께.

잠자던 새가 눈을 뜨면 시끄럽듯이, 지구의 모든 생물들이
숨을 쉬는 것 같아요.
봄이라고 웅크리고 있던 친구들의 몸이 이젠 기지개를 펴며
소리를 치고, 잠자던 개구리, 땅 속 깊이 숨어있던 파란 새싹들도
다시 살아나고 있어요.
선생님, 안녕하세요? 몸 건강하시겠지요?
저도 친구들도 모두 잘 지내고 있어요. 3학년 고참이라고 모두들
후배들한테 소리도 쳐보고, 또 언니답게 잘 대해 주기도 해요.
선생님께서도 여기 있는 친구들과 같은 예쁘고 착한 학생들을
만나 행복하시리라 믿어요.
선생님은 어딘가 모르게 소녀 같은 면도 있고,
우리들 마음을 잘 아셨어요.
선생님을 다른 친구들한테 빼앗긴 게, 정말 슬펐어요.
OO랑 청소를 할 때면, 선생님이 계셨던 상담실이 생각나곤 해요.
선생님, 벌써 우리를 잊은 건 아니시겠죠?
그러면 저희가 서운해할 거예요.
참! 선생님.
저, O란이 O희, O희, O자, 총 다섯 명이 동아리를 만들었어요.
모여서 회의도 하고 계획도 세우고, 팀명은 '반딧불'이에요.
O희가 제안한 말인데, 이름도 이쁘고, 순수한 맛이 있고 그래요.

그리고 O희, O란이 또 같은 반이 됐어요.

담임선생님은 OOO선생님이시고요. 모두들 선생님을 사랑해요.

학교생활도 정말 즐거워요.

선생님. 오늘은 눈이 왔어요. 지금은 비로 변했어요. 어제만 해도
봄날씨처럼 햇볕도 쨍쨍하고 바람 한 점 없었는데, 봄은 무슨
봄이냐는 식으로 무지 추워졌어요. 군대 가 있는 오빠한테
봄소식을 전했는데, 오늘은 그 말이 거짓말이 되고 말았어요.

선생님도 가평이란 곳에 살아봐서 아시리라 믿어요.

봄과 가을은 잠시뿐이란 것을, 날씨도 아주 춥다는 것도. 그렇죠?

오늘은 학교 수업이 일찍 끝나서 집에 일찍 올 수 있었어요.

편지지가 눈에 띄는 순간 선생님 얼굴이 생각났어요.

아직은 선생님께서도 아주 바쁘시리라 생각해요.

많은 친구들이 선생님을 사랑해 주길 빌게요.

그럼 이만 줄이겠습니다.

항상 건강하시고,

슬프시고 어려우실 땐, 밝게 웃고 있는 우리를 생각하세요.

지금도 이쁘게 웃고 있으니까요.

안녕히 계세요.

P.S. 학교 주소 좀 가르쳐 주세요.

- 사랑하는 제자 OO이가.

OOO 선생님께—

선생님. 그동안 안녕하셨어요.

저는 아주 건강해요.

방학하면 많은 걸 배워보려고 했는데… 부끄럽게도

하나도 이루지 못했어요.

그래도 5개월짜리 동생과 아주 즐겁게 보내고 있어요.

동생은 이제 보행기를 타고 자유자재로 다녀요.

부모님의 귀여움을 독차지해서 가끔은 얄밉기도 하지만

그래도 아주 귀여워요.

선생님께선 여행을 좋아하신다고 들은 기억이 나는데, 많은 곳을

다녀오셨는지요? 날씨가 더워서 좀 힘드셨겠어요.

저희 식구는 이번에 이모식구들과 영월, 주문진을 다녀왔어요.

영월에 가서 고씨동굴을 봤는데, 천연기념물답게

아주 아름다웠어요. 과학시간에 그림으로만 보던 석주, 석순,

종유석 그리고 돌리네를 봤는데, 제가 아는 거라서 동생한데(중1)

설명도 해줄 수 있어서 너무 좋았어요.

그리고 단종께서 돌아가신 곳에도 가봤는데…… 단종이

불쌍하다는 생각이 들지는 않았어요. 제가 너무 못돼서 그런지

전 저희 나라를 침략한 일본도 나쁘다는 생각이 들지 않아요.

호랑이가 잡아먹었다면 그냥 당연한 일이니까요.

영월 경치는 참 좋았어요.

단양에도 갈 계획이었는데 시간상 주문진에 갔어요.

바다에 가서 오징어회도 먹구 재미있었어요.

그리고 그곳이 할머니댁이라서 할머니도 뵙고 했어요.

그런 다음 우리 일행은 외할머니댁에 갔죠. 보은이에요.

속리산과 가까워요. 우리는 할머니댁에서 1시간 떨어진 청천에

갔어요. 강이라기보다 좀 큰 냇가 정도로 기억하는데, 그 곳에서

올갱이(고동) 잡는 일은 무척 흥미있었어요.

이번 여행에서 가장 기억에 남는 건?

딩동댕~ 고씨동굴에 간 일이죠.

일본인들의 억압을 피해서, 고씨들이 이 동굴에서

숨어서 살았다는 그 동굴.

나중에 어른이 되면 다시 한 번 가볼 생각이에요.

선생님.

그럼 건강하시고,

빨리 개학해서 선생님 뵙고 싶어요.

언제나 다정하신 선생님이 떠올라요.

개학하면 선생님께서 여행하신 이야기해주세요.

그럼 이만.

OOO 올림.

선생님께

해는 어느새 서산을 넘고 땅거미마저 오래 전에 져버린 지금
한 여름 밤의 적막을 깨고 선생님께 몇 글자 안 되는 글을
적어봅니다.

벌써 방학한지 20일 남짓 된 지금 아무 것도 해 놓은 게 없이
소일을 보내고 있습니다. 지금 전 매일 놀러나 다니고 말았어요.
이러다가 개학을 하면 후회만이 남는 줄 알면서도……
어차피 우리들이 걸어야 할 길을 위해 공부라는 두 단어를
해야 할 텐데, 실천 못 하는 저 자신이 나날이 한심스럽기
그지없어요.

참! 선생님은 방학을 어떻게 보내시는지요?
무척이나 궁금해요. 왜냐구요?
그 이유는 선생님께서 여행을 무척이나 좋아하시기에,
제 생각에 선생님은 기차를 타고, 어딘가를 여행할 듯한
그런 생각을 해봐요.

저는 지금 독서를 하다가 문득 선생님 생각에 책을 덮지도
않은 채, 글을 적는 중이에요.
제목은 '죽은 시인의 사회' 라는 책으로서, 아직 끝까지 읽지는
못했지만, 제가 처음 이 책의 제목을 봤을 때보다 훨씬 흥미가
있더군요. 겉보기로 책이 재미있고 없고를 판결 내리는 일도,
생각해봐야 된다는 생각이 들더군요. 선생님께 글을 마친 후에는,

곧장 그 '죽은 시인의 사회'라는 책을 볼 생각이에요.

제게 세상에서 가장 멋있는 것이 무엇이냐고, 누군가 물어봐 준다면, 하늘이라고 말하고 싶어요. 드높은 하늘 말이에요. 높기까지 하면서 게다가 넓기까지 곁들인 하늘 말이에요. 대단하지 않나요?

하늘의 색깔에 따라서 날씨가 좋고 나쁨을 알 수 있고, 저녁의 해질 무렵에서 해가 질 때까지의 그 아름다운 광경……

전 또한 서쪽 하늘의 노을도 무척이나 좋아해요. 어떨 땐 여러 가지의 갖가지 색으로 아름다움을 창조하고, 찬미하는 것 같아요. 밤 하늘의 별 또한 멋있잖아요.

별 하나 없는 캄캄한 하늘은 싫어요. 답답해 보여요.

이렇듯 하늘은 정말 아름다운 반면에, 수시로 변하는 변덕장이라 해도 할 말은 없을 거예요. 선생님도 이런 하늘을 좋아하시겠죠?

어어~~ 벌써 열 두 시가 다 되었어요.

왜 이리 시간이 빨리 가는 줄 모르겠어요. 선생님과의 대화가 너무 길었나~~~~`

선생님. 그럼 저는 보다 밝은 내일을 열기 위해, 어차피 걸어야 할 저의 길을 위해 남은 방학을 게을리하지 않을 것을, 사랑하는 선생님께 맹세하고 이만 줄일게요.

안녕히 계세요.

밤 12:00. 사랑하는 제자 ○○올림.

그리운 OOO 선생님께.

안녕하세요, OO입니다.

한동안 편지를 못 드려 죄송해요. 이사도 하고,

3학년이 됐다는 이유로, 너무 분주히 보냈던 것 같아요.

오늘은 4월 3일이에요. 바로 제가 이쪽으로 온 지 2년이 되는
날입니다. 믿기지가 않아요.

선생님을 보지 못한 게 벌써 2년이라니….

참, 그 사진은요. 제 거예요. 예쁘진 않지만, 제 모습을
보여드리고 싶어서 보내는 거예요. 살이 많이 쪘죠?

31일은 모의고사였어요. 글쎄, 첫 시험이 중요하다고 하는데,
기반을 잘 다진 건지 모르겠어요. 참, 국어는 하나 틀렸어요.

아! 그리고 이번에 저희 학교가 경기도에서 일등 했어요.

작년 언니들이 너무 잘해서 지금 3학년들이 부담을 느꼈는데,
다행이에요.

그런데 저희 반이 꼴등해서 숙제도 많고, 선생님들의 야단도
잦고, 담임선생님 잔소리도 늘고, 여러 가지로 좀 힘들어요.

그렇지만 '비 온 뒤에 땅 굳는다'는 말도 있잖아요?

선생님들께서 하라는 대로 하고, 열심히 노력하다 보면 훨씬
더 좋은 결과가 나오겠죠?

저도 이번에 얻었던 실망을 계기로 더욱 열심히 해서, 꼭 가고
싶은 고등학교에 갈 거예요. 선생님, 도와주실 거죠?

참, 어디선가 시를 봤는데, 제목을 모르겠거든요?
아시면 좀 알려주세요.

> 물 속에는,
> 물만 있는 것이 아니다.
> 하늘에는
> 그 하늘만 있는 것이 아니다.
> …… (이후 생략)[6]

이 시를 처음 읽고, 다 외워버렸어요. 정말 좋았나 봐요. 히~
선생님,
봄이에요. 봄이면, 더욱 선생님 생각이 나는데요.
정말 그립습니다.
선생님, 사. 랑. 해. 요.

- ○○올림-

p.s. 이 편지지 온도가 높으면, 색깔이 변해요. 신기하죠?
저요, 과학의 날 독후감 내서, 2등 했어요.
축하해 주세요.

P.s. 이 편지지 온도가 높으면 색깔이 변해요.
신기하죠?

---

[6] 류시화의, '그대가 곁에 있어도 나는 그대가 그립다' 저작권상
이후 생략.

너무나도 보고 싶은 선생님께

안녕하셨어요?

요즘 날씨가 변덕스러워서, 선생님 건강은 어떠신지
먼저 묻고 싶네요.

저는 선생님께서 걱정해 주신 덕분에 건강한 생활을 보내고
있습니다.

선생님을 못 본 지도 일주일이 다 가는군요.

근데 선생님은 저의 곁에 늘 계시는 느낌이 들어요.

선생님 건강은, 아니 학교 생활은 어떠세요?

아이들 말 잘 들어요?

아이들 말 안 들으면 제가 가서 혼내 줄 거예요.

선생님 오늘 오후에 하늘 보셨죠? 햇빛이 무척이나 붉더군요.

하늘이 조금 어둡긴 했지만 전 오늘 해님이 무척이나 크고
둥글고 아름다워 보였어요.

선생님,

저는 또 O반이 되었어요.

담임선생님은 OOO선생님이시구요.

3년 내내 같은 반 같은 담임이 되는 줄 알았는데,

2학년 때 담임이셨던 OOO선생님께선, 3-O반 담임이 되셨어요.

3학년이 되어도 전 변한 것이 아무 것도 없어요. OO이, OO이, 저

이렇게 세 명은 붙었는데, 안타깝게 OO는 떨어졌어요.

하지만 아주 친하게 지내요.

OO이는 대학간다고 요즘 문제집을 풀고 있어요.

OO이도 대학 간다고 하는데, 요즘 환경미화 때문에 무척이나
피곤해 보여요.

모두 열심히 하니까 대학에 꼭 붙었음 좋겠어요.

OO이는 인문과목을 잘 하거든요. '과'를 잘못 들어온 OO이가
어떤 때는 안타까울 때도 있어요. 하지만 좋은 친구라서
같은 과에 들어온 걸, 무척이나 다행이라 생각해요.

선생님,

선생님께선 국어 가르치시죠?

음악을 들으며 글을 쓰던, 아주 짧은 시간이었지만,

전 잊혀지지가 않아요.

선생님,

봄인데도 아직 추우니까, 따뜻하게 윗옷 걸치고 다니세요.

선생님, OO 그만 물러갈까 합니다.

건강하세요. 방학하면 선생님 뵈러 갈 거예요.

편지 자주 올리겠어요.

안녕히 계세요.

선생님을 무척이나 사랑하는

OO 올립니다.

5월의 장미, ○○○선생님께

안녕하셨어요, ○○예요.

또 늦었죠? 써둔 편지를 잃어버렸어요. 어디다 껴 뒀는데
아직 못 찾아서… 죄송해요.

저 '스승의 날'은 어떠셨어요? 죄송해요.

올해도 변함없이 아무 것도 해드릴 수 없었네요.

마음 같아서는 선생님께 달려가고 싶지만 그럴 수도 없구…

어제는 비가 왔어요.

비가 오니까 문득 전에 선생님께서 고등학교 때 학교서부터
전철역까지 신발을 벗은 채 뛰셨다는 말이 생각나서, 한참을
웃었어요. 그때 선생님은 어떤 마음이셨을까 궁금하기도 하구…

참!

이번주 월요일에는 상 받았어요.

저번에 환경 어쩌구 하는 글짓기가 있었는데 운이 좋았던지
1등 했대요. 그래서 얼떨결에 받긴 했는데 좀 부끄럽더라구요.

아! 그리고 선생님.

늦었지만 정말 축하드려요. 100점 받으신 거.

히, 얼마나 기뻤는지 몰라요. 그래서 그 편지 받고, 남은 시험
다 잘 봤어요. 다 선생님 덕분이에요. 국어는 97점 받았어요.

97점이 최고점이래요. 아깝지만 행복해요.

국어만 잘 해서 뭐하냐고 하실 지 모르지만, 선생님 덕분에

국어라도 잘 할 수 있어서 정말 기뻐요.

또, 저번 편지에 얘기만 잔뜩 하다가 사진을 안 넣었죠?

아무리 봐도 이상하지만, 그래도 예쁘게 봐주세요~

[7]*← 이건 친구랑 찍은 스티커 사진이에요.

웃을려고 준비하는데 찍혀서는, 화난 것처럼 보인대요~

이처럼 OO는 밝게, 즐겁게 살고 있어요.

다만 많은 시간 동안 선생님을 볼 수 없어서

좀 슬프고, 좀 외롭구, 좀 아프네요.

합치면 많이 보고 싶다는 말이구요.

선생님. 스승의 날을 맞이하여, 정말 감사하고요.

그동안 죄송한 것도 많았어요. 용서해주세요.

선생님,

앞으로는 더욱 열심히 노력하는 OO 될게요. 지켜봐 주시고요.

선생님, 아주 많이 이------땅만큼 사랑해요.

건강하셨음 좋겠구요. 지나는 제자 중의 하나일지 모르지만

저OO 기억해주세요.

그럼 선생님, 또 쓸게요.

안녕히 계세요.

---

[7] 사진 첨부

OOO 선생님께

선생님 그동안 안녕하셨어요?

선생님께서 전근 가시던 날, 집에 갔다가 선생님 뵈러

다시 왔었는데, 선생님께서 벌써 떠나시고 안 계셔서,

얼마나 섭섭하고 슬펐는지 몰라요.

제가 선생님께 얼마간 불순한 행동을 했었는데,

그것 다 용서해 주세요. 마음은 선생님을 너무나 좋아하는데,

행동은 왜 그렇게 했는지 모르겠어요. 언행일치라는 말이 있는데

저는 심행일치가 되지 못하는 사람인가 봐요. 심행일치?

제가 새로 지어낸 사자성어예요.

참! 선생님께서 그렇게 기다리시던

저희 2학년 4반 문집이 나왔어요. 오늘(3월 3일) 나왔는데,

즉시 붙여 드리는 거예요.

우리 문집 잊어버리지 마시고, 또 2학년 4반— 말 정말

안 들었던 반, 그렇지만 미워할 수 없던 반 —도 잊지 마세요.

그리고 저 OO이도요.

선생님께서 떠나시기 전에 주신, 시 있지요. 그것 제 방에

잘 붙여 놨어요. 매일 매일 방을 나갈 때마다 그 시를 읽곤 해요.

그 시를 보면서 매일 매일 선생님도 생각나고,

정들었던 2학년 4반 친구들도 생각날 것 같아요.

참. 제가 하회탈 목걸이 선생님께 드릴게요.

그날 드리려고 했는데……

이 목걸이 보면서 제가 찡그렸던 얼굴들 생각하지 마시고,

양반처럼 활짝 웃던 모습만 기억해 주세요. 욕심일까요?

참, 선생님께서 OOO고로 가셨다는데, 그곳은 모두

남학생뿐이라면서요? 선생님, 힘드시나요? 이걸 어쩌나?

이 곳에서는 어떻게 할 도리가 없지만, 아이들이 선생님 말씀

잘 들으라고, 하늘에 대고 기도해 드릴게요.

언제나 건강하시고, 또 꿋꿋하시고, 사과도 많이 많이 드시고,

콩도 많이 드시고, 또 선생님께서 좋아하시던 수수, 율무도

드시고… 다 먹는 얘기만이네…

또 저희들에게 해 주신 것처럼 아이들 사랑하시고,

잠도 많이 주무시고, 밤은 그만 껍질 까시고, 눈물은 감추시고,

상도 많이 주시고, 아! 참라면도 많이 주시고,

이야기도 많이 해주시고, 밤새워 설거지하지 마시고,

그리고 선생님께서 꿈꾸시는 한적한 시골의 집에서 사시고,

그리고 자전거 타기 꼭 배우시고,

아! 그곳 인천에도 뻥튀기 파나요? 안 팔면 어쩌나!

그리고 언제나 행복하세요.

그럼 안녕히 계세요.

선생님의 사랑스런 제자
OOO 올림.

Dear OOO 선생님께

하루가 시작되는 아침! 선생님을 그리며 pen을 들었습니다.

교정엔 벌써 목련이 지고 있어요. 무척 아름다웠는데,

떨어지는 꽃잎은 쓸쓸해 보이기만 합니다.

봄은 언제 왔다가 언제 갔는지도 모르게 살그머니 지나가고

더욱 따사로워지는 햇살 속에 밝은 모습으로 생활하고 계신,

선생님 모습이 눈에 선하답니다.

선생님 안녕하세요—

선생님을 사랑하는 소녀 OO이에요.

요즘엔 여러 가지 일들로 머리속이 어지러웠습니다. 이제 며칠

(오늘, 내일 그리고 시험~!) 후면 시험인데, 걱정이에요.

선생님께서도 시험 문제 출제하시느라, 무척 바쁘실 시기인 것

같은데…. 선생님의 생활이 너무 궁금해요.

그렇다고 제가 직접 비디오를 찍으러 갈 수도 없는 일이구…

선생님께 받은 예쁜 편지지 때문에 그 날은 얼마나 기뻤었는지

선생님은 상상도 못 하실 거예요.

OO이는 정말 행복한 소녀죠? (선생님께서도 그렇게 생각하실 것

같아요). 늘 누군가를 생각할 수 있는 것도 커다란 행복인 것 같

은데, 선생님께 따스한 사랑받고 있으니, 얼마나 기쁜지 몰라요.

며칠 후면 '스승의 날'이라는데, 선생님 모습도 볼 수가 없어

아쉽습니다.

언젠가 선생님과 이야기하던 中에 교외로 나가 갈대도 꺾고,
들을 거닐고…. 그런 이야기가 생각나요. 꼭 한 번만이라도
지켰으면 정말 좋은 추억이 생겼을 텐데… 선생님도 후회되시죠?
그 곳에서도 여전히 순수한 소년, 소녀들에게 꿈을 주시고
계실 텐데, 아이들이 선생님 말씀 잘 들을지 궁금합니다.
물론 선생님 특유의 미소로 인해 아이들이 잘 따르고,
여전히 행복한 생활을 하며 지내시리라 믿어요.
이제 시험 끝나면 종이 접기 가르쳐 드릴게요. 이쁜 것 하나
알 게 되었거든요. 선생님께서 이곳에 계시면 당장이라도 달려가
가르쳐 드렸을 텐데…..
아 참! 저번 달엔 지점토를 배웠습니다. 예쁜 장미도 만들어보고,
냉장고에 붙이는 예쁜 장식 (자석으로 붙이는 것)도 만들었답니
다. 이제 다음달이 되면 신발(장식용)과 컵을 만든답니다.
석고 사다가 아니, 지점토 사다가 선생님과 함께 만들면
무척 재미있을 텐데……. 선생님, 우리 상상으로 함께 만들어
보기로 해요. 선생님은 무얼 만드실래요?
전…생각 좀 해봐야겠어요.
이렇게 잠시나마 선생님과 얘기하고 나니까
기분이 너무 좋아진 것 같아요.
선생님, 언제까지나 아프시지 마시고, 건강함 모습으로
다시 뵙게 되길 바랍니다.

언제일진 모르지만, 꼭 만나 뵈러 찾아 갈게요
건강하시고,
많은 아이들에게 더 많은 사랑 전해주시는 선생님이시길 바라요.
벌써 5월입니다!

　　　　　몸은 먼 곳에 있지만 마음은 늘 가까이에 있는
　　　　　선생님을 사랑하는 소녀가 마음을 띄웁니다.
　　　　　　　　　　　　　　　　　　　OOO올림.

p.s. 보고 싶어요---
　　사랑해요----
　　꼭 만나게 되길----

선생님께

선생님! 좀 움츠러들던 겨울이 마지막 발악을 하듯,
요즘은 매서운 추위가 세상을 장악했습니다.
그제는 바로 앞도 보이지 않을 만큼 눈이 펑펑 내려 멈출 것
같지 않더니 드디어는 거리마다 빙판길을 만들고 멈추었습니다.
저는 종업식을 하고, 지금은 때 아닌 봄방학을 즐기고 있습니다.
선생님께서는 이 추위에 어떻게 지내시는지 걱정이 됩니다.

9, 10월부터 솜이불을 세 겹씩 덮으신다던 선생님 말씀에
더욱 선생님 생각이 납니다.

어제 종업식날 반편성을 하였는데,

그렇게 바랐건만, OO이와 같은 반이 되지 못한 것이 안타깝고,

계속 같은 학교 내에서 있을 건데도, 반 친구들과 담임선생님

모두, 같은 반에서 생활할 수 없는 것에 전에 없이 우울해지고,

목이 메어 참느라 혼났습니다. 친구들이 말을 걸어와도

대답도 못 하고, 다만 웃어주었습니다. 친구들도 못내 아쉬운지

자주 우리 반에 놀러 오고, 잊지 말자고 몇 번이나 다짐합니다.

이런 우울한 기분이 우습기도 합니다만 이상하게도 계속 울고만

싶습니다. 중학교 때까지만 해도 반이 바뀌는 것을

아무렇지도 않게 받아들였는데, 이제는 잘 안 되니, 저 자신도

이상하게 느껴집니다.

지금 박인환 씨의 <목마와 숙녀>의 낭송이,

조용한 음악의 선율과 함께 흘러나옵니다. 이 편지지에 담아

고이 선생님께 들려 드리고 싶습니다.

항상 선생님의 건강을 빌며,

이만 줄이겠습니다.

OO올림.

선생님,

창문만 살짝 열어놓아도 서늘한 바람이 살며시 인사하는
가을이에요. 토요일 오후엔 친구들과 사진을 찍었어요.
고등학생으로 입는 하복과 이젠 안녕을 고해야 하거든요.
무슨 말인지 아세요? 하복을 입는 날이 오늘이 마지막이었어요.
고2라면 내년이라는 시간이 있지만, 고 3인 제게는 아주 없어져
버렸어요. 3년 동안 교복 착용하고 단발머리에 늘 검은 구두를
신었는데…. 교복을 입는다는 것이 이렇게 설레이는 건 왜일까요?
누구도 모를 아쉬움 때문일 거예요. 이제 불과 몇 달 후면
대학을 가든 사회인이 되든, 교복은 입을 수가 없으니까요.
선생님, OO네 언니가 10月에 결혼하신대요.
그래서 O희, O숙, O희 O란, O희, O숙, O옥, O영이가 함께
축가를 불러 드리기로 했어요. 무척 인상 깊은 선물이 될 것
같다고 생각지 않으세요? 전 웃음부터 나오려 해요.
저희들에게 잊을 수 없는 추억이 될 것 같은걸요!
너무 오랜 만이라 선생님께 하고픈 말이, 한 보따리 담아도
넘치는 것 같아요. 선생님 피곤하실 텐데,
미소 가득히 읽어 주셨을 거 같아 감사드리고요.
오늘은 그만 쓸게요.
선생님, 사랑해요----

OOO 올림.

OOO 선생님께

선생님, 방학 기간 동안 몸 건강하시고, 잘 지내고 계시는지요?

저는 선생님께서 염려해 주시는 덕분에 몸 건강하고,

방학을 재미있게 보내고 있습니다.

선생님께서는 방학 기간을 어떻게 활용하고 계시는지요?

궁금합니다.

선생님, 저는 방학 기간을 친구들과 수영도 하고, 곤충 채집도

해보고, 공부도 좀 하면서 하루하루를 지내고 있습니다.

선생님, 제가 1학기 때 수업 시간을 생각해 보면,

국어시간에 너무나 소홀했다는 후회가 막심하게 듭니다.

선생님, 이번 개학 때부터는 열심히 수업 시간에 공부할게요.

아! 참 선생님, 요번 방학 기간 동안 살 좀 많이 찌셨나요?

저는 선생님께서 살이 얼마나 찌셨나 생각해 봅니다.

선생님 죄송합니다. 몸무게 얘기만 해서요.

선생님 저는요. 방학기간 동안 살 좀 뺀다고 결심을 했는데요.

반대로 살만 많이 쪘어요.

선생님 편지를 너무나 늦게 보내서 죄송합니다.

그럼 남은 방학 기간 동안 몸 건강하세요.

그리고 개학날 건강한 모습으로 저희들을 맞아주세요.

그럼 이만 줄이겠습니다.

선생님을 존경하는 제자 OO올림.

Dear OOO 선생님께

따사로운 햇살과 맑은 하늘 위를 물결 따라 흐르듯

하얀 구름이 흘러가고, 한가로움이 충만한 일요일 오후입니다.

고3이란 생활의 반이 벌써 지나가 버리고 말았습니다.

선생님! OO이가 가장 좋아하는 선생님!

너무 너무 보고 싶은데, 시험이 있어서 좀 늦어졌어요

갑자기 빨간색 pen으로 써서 놀라시진 않으셨는지요?

빨간색 pen은 사랑하는 사람에게 쓰는 거래요. 이게 바로

OO이의 작은 선물이랍니다. ^^

선생님, 지금 건강은 어떠세요?

가족과 가까운 곳에 계시니까 더 건강해지셨을 거라 믿고 싶어

요. 많이 많이 드시고 건강해지셔야 할 텐데…

그곳엔 교무실이 어떻게 생겼어요?

이곳에 계실 때처럼 늦게 남아계시기도 하고, 혼자만의 시간을

가져보시진 않으신지요? 그곳 방학식은 언제예요?

선생님 19日에 시간 있으시면 OO이가 찾아가면 안될까요?

약속이 있으시거나 계획 있으시면 할 수 없구요…

전 월요일부터 보충 들어야 하거든요. 이번 여름엔 걸스카우트

하계 야영대회 '한국 잼버리'에 참가도 못하게 되었어요. 5박 6일

이라 무척 가고 싶은 마음은 있지만 뾰족한 수가 없잖아요.

한 가지 반가운 소식은요.

저희 반 15일에 학교에서 야영해요. OOO 선생님 제의에 모두 O.K였어요. 3학년이 되어 함께 했던 친구들과의 밤! 정말 멋진 밤이 될 것 같아요.

오늘은 정말 오랜 만에 집에 있었어요.

아침에 8시까지 늦잠 꾸러기도 되어보고, 설거지, 청소, 빨래하고 꽃에 물주기도 하고 그러니까 기분도 너무 좋은 것 같아요. 항상 학교에서 9시가 다 되어 집에 돌아와 씻고 내 방 청소하고, 공부 조금 하다가 잠들어 버렸거든요.

이런 여유가 너무 좋아요. 음악도 틀어 놓고 멍하니 누웠다가 꾸벅꾸벅 졸기도 하고…..

저번엔 의정부에 시험 보러 다녀왔어요.

전철 타러 가는데 서점이 있어 들렸다가, 시집 한 권을 샀어요. <차마, 소중한 사람아>인데요. 정말 맘에 들어요. 이 안에 있는 글은 선생님께서 알고 계실 것 같지만, 한 편 소개할게요.

> *아무도 그 숲에 가지 않았다*
> *아무도 그 숲에 가지 않았지만*
> …… (이후 생략)[8]

오늘 밤 꿈속에서 이 숲을 만나보세요

　　　　　선생님의 제자, OO이가 띄웁니다.

---

[8] 김용국 시, '아무도 그 숲에 가지 않았지만' 이후 생략.

OOO 선생님께

올봄 날씨는 변덕이 심해요. 꽃도 피고 풀잎도 파릇파릇한데
날씨는 겨울 날씨처럼 춥고, 눈발도 날리고….

선생님, 몸 건강히 안녕하셨어요? 무척 보고 싶습니다.

시, 참라면, 새우깡, 엿 등 등 등 생각이 나요. 그때로 다시
돌아가고 싶지만, 모든 것이 다 추억으로만 남아 있어요.

화요일에는 체육대회를 했었는데, 정말 재미있었어요. 오후에는
비 맞으면서 경기를 했어요. 비 맞으면서 해도 기분이 좋았어요.

우리 학교 교정은 정말 아름다워요.

벚꽃 꽃잎은 거의 다 떨어졌지만, 다른 꽃들은 아직까지 활짝
피어 있어서 예뻐요. 벚꽃 피었을 때 친구들과 함께 사진 찍고
싶었는데 기회가 없었어요. 그리고 선생님, 매점 옆에 있는 연못
옆에 공작새 한 쌍이 있어요. 수업 도중 수컷이 "꽥꽥" 울면
한바탕 웃기도 하고, 수컷이 날개를 펴면, 눈이 부시게 예뻐요.

선생님 학교 생활은 어떠세요?

(그 학교 학생들이 말썽 피워 선생님 힘들게 하면 안 되는데….)

OOO고로 다시 오셨으면 좋겠어요. OOO고에 계셨을 때 생각은
가끔 하세요? 잊어버리시지는 않으셨겠죠?

선생님, 부디 몸 건강하세요.

안녕히 계세요. 선생님.

OOO 올림..

선생님,

극기 훈련을 시작했어요. 1코스 외줄타기부터 저에겐 두려움으로
다가왔었는데, 막상 하고 보니 너무 재미 있었어요.

낭떠러지가 있는 곳에서 세줄타기도 하구요. 또 TV에서만 보던
작은 강을 사이에 두고 줄을 잡고 건너기도 했어요. 2명씩 하는
건데 꼭 저는 운동을 잘하는 친구(저와 친한 친구예요)와 짝이
되는 거예요. 열등감이 나더군요. 속도 많이 상했구요. 하지만
저도 열심히 했어요.

그런데 맨 마지막 코스로, 긴 구름사다리를 손으로 잡고
처음부터 끝까지 건너는 것이 있었는데요. 제가 그 친구를
이겼어요. 전 끝까지 가고, 그 친구는 중간에서 떨어졌어요.
순간 통쾌했어요. 갑자기 왜 그런 나쁜 생각이 났는지
저도 모르겠어요. 지금 와서 생각하면 그 친구 덕분에 어려운 줄
모르고, 쉽게 해낸 건지도 모르는데 말이에요.

선생님. 선생님도 밖에 나가보세요. 집에 있는 것보다 훨씬
시원하구 머리도 맑아져요. 그리구 많이 드시고, 푹 쉬세요.
그래야 19일에 저희들과 건강한 모습으로 볼 수 있지요.
선생님, 꼭 푹 쉬세요. 그럼 이만 물러갈게요.

-선생님의 소녀, OO이 올림.

P.S. 사진도 못 찍어서, 보내 드릴 사진도 없네요.

그 대신 19일날, 저의 건강한 얼굴을 보여드릴게요. Hi~~

선생님 가을이 왔어요.

하얀 뭉게구름이 하늘 높이 떠오르고

밤, 대추 등 모든 것이 풍성한 가을이 왔다구요.

오늘은 선생님께 글을 쓰지 않고는 안 될 것 같아

펜을 들었어요. 지금 못 쓰면 잠이 오지 않을 것만 같아서요.

오늘은 하루 종일 집에 있었어요.

가게 일도 돕고 밥도 하고, 청소, 빨래도 하면서 음악도 듣고….

오랜 만에 평화롭게 지냈어요.

2학기 시작하고서 저도 한참은 정신없이 바빴던 것 같아요.

선생님께서도 지금 무척 바쁘시죠?

그곳 아이들은 시험 잘 봤대요?

선생님께서 잘 가르쳐 주셨으니까 좋은 성적 나왔을 거예요.

벌써 3시가 되어가고 있어요.

할 일이 산더미처럼 쌓여서 오늘 밤 잠들 수 있을지 모르겠어요.

언제나 건강하세요.

좋은 책 있으시면 제게 제목 좀 가르쳐주세요. 꼭 읽어볼게요.

언제나 학생을 사랑해주시는 선생님!

선생님.

늘 밝은 미소 잃지 마세요.

머리속이 텅 빈 듯한 밤에

제자 ○○이가 띄웁니다

OOO 선생님 보세요

안녕하세요? 벌써 유월 첫 주가 지나가고 있네요.

선생님, 저 OO이에요.

참 이상한 일이죠.

저 작년에 선생님 되게 좋아 했었는데…. 모르셨죠?

선생님은 제 눈 속에 남아 있던 '별'이었거든요.

지금도 물론 그렇구요.

선생님, 지금 제 마음 속엔 비가 내리고 있어요. 친구랑

싸웠거든요. 그 친구가 누구인지 말은 안 하겠어요.

하지만 그 친구에 대해서는 얘기해 드릴게요.

그 친구는 생긴 거와는 달리 남에게는, 아니 남의 일은

신중히 생각하고 행동하지만, 자신의 일은 그렇기 못 해요.

지금 우리의 일도, 자기 기분이 나쁘다며 헤어졌거든요.

물론 제가 잘못해서지만요.

그 친구는 마지막에 이런 말을 하더군요. "xx 없어"라고요.

아~ 이렇게 털어놓고 나니, 속 마음이 편안해지네요.

선생님, 이만 줄일게요. 몸 건강하세요.

그리고 지금처럼 항상 웃는 모습만 보여주셨으면 해요.

저도 웃고 다닐게요.

그럼 안녕히 계세요.

OO올림.

선생님

저의 영원한 선생님을 찾는 순간은 기쁨이 충만한 시간입니다.

아름다운 생각과 아름다운 이야기 속에 생활하시는

선생님 모습이 눈앞에 선합니다.

살아간다는 것 그것은 무엇이라고 생각하시나요?

기쁘고, 슬프고, 아프고, 사랑하고, 증오하고, 미워하고…. 그렇게

서로와 부딪히는 순간들을 산다고 할 수 있는 것이 아닐까요?

선생님, 건강하게 잘 지내시고 계시죠?

어느덧 11月의 마지막 날이 되었어요.

몇 분 후면 내일이 되고, 12月이 되어버려요.

고교 3년 동안 정말 바쁘고 힘들었지만, 즐거웠고 행복했던

모교를 떠나가야 한다는 것이 서글퍼집니다.

제게 사랑을 주시던 잊지 못할 선생님과, 후배들과 친구들

모두와 헤어져야 할 시간이 조금씩 다가오고 있음을 느끼면서,

이젠 '내가 무엇을 해야 하는가?' 라는 생각을 하며

지내고 있어요.

마침 저에게 기회가 있었어요.

'OO은행'인데 삼성 볼 때랑 기분이 확실하게 달라요.

어제 면접 시험을 보고 왔어요.

본점이 인천 쪽에 있어서, 며칠은 이모네 집에 다녀오고,

신세도 지고 그랬어요. 발표는 다음주 월요일에 난대요.

합격이든 불합격이든 빨리 결과가 나오니까 좋아요.

이번엔 꼭 꼭 붙었으면 좋겠어요.

그리고 희망이 현실로 올 것 같은 기분이에요.

반가운 소식이 오기만을 바랄 뿐이에요.

선생님께서 OO이가 갈 길이 있을 거라고 하셨죠?

그 길이 바로 이 길인 것 같아요. 속단하긴 이르지만.

이 번에 떨어지면 어느 친구들처럼 이력서만 쓰면 들어갈 수

있는 경리직으로 가게 될 지도 몰라요.

그럼 안 되겠죠?

아무리 직업에 귀천이 없다고 하여도 저는 그래도 인정받는

곳에서 나만의 시간도 누릴 수 있고, 소명의식을 갖고

일할 수 있는 직업을 갖고 싶은 욕심이 있거든요.

오랜 만에 pen을 들어서인지 많은 말들이 머리 속에서만

맴맴 돌고 써지지가 않아요.

그곳 1, 2학년들 이제 시험 기간이겠네요.

선생님께서도 바쁘시겠죠?

1년 동안 그 곳에서 많은 추억도 만들고, 좋은 학생들과 많은

이야기도 하시고, 소년 소녀들의 사랑과 존경을 받으시면서,

늘 웃음이 그치지 않으실 선생님을 생각하며,

오늘 하루를 접습니다.

OOO 올림.

선생님께.

선생님 날씨가 꽤 쌀쌀한데, 감기 걸리시지는 않으셨어요?

선생님 건강이 너무 걱정되거든요. 가뜩이나 보충수업 땐,

한 번도 뵙질 못했잖아요.

선생님! 지금 밖엔 눈이 너무 예쁘게 내리고 있어요.

지금 선생님께선 뭘 하고 계실까 너무 궁금해요.

아주 분위기 있는 음악을 듣고 계실까? 아님 책을 읽고 계실까?

전 <3천 원의 인도여행>이라는 책을 읽고 있어요. 나중에 대학

가서 인도로 배낭여행이나 가볼까 하고 읽기 시작했는데, 너무

무서워서 나혼자는 무리인 것 같아요. 첨에는 호기심이 나길래

읽기 시작했는데, 겁만 잔뜩 먹었지 뭐예요.

그래두 젊은 피가 끓어서 그런지, 한 번 도전은 해보고 싶어요.

선생님께서도 여행 좋아하시잖아요. 맞지요?

아 참! 선생님께 드릴 기쁜 소식이 있어요.

저 12월 30일날 OO이 오빠한테 선물받았어요.

솔직히 크리스마스날 카드가 안 와서 쬐~끔 섭섭했는데, 그날

다이어리 지갑을 카드랑 보내왔더라구요. (카드)내용은

선생님께는 가르쳐 드릴 의무(?)가 있으니깐,

'새해 선물이다. 멋진 계획으로 고 2 생활을 시작해 보렴-오빠가'

이렇게 적혀 있었어요. 정말 기분 좋았어요. 선생님께

말씀드리고 나니깐, 더 기분 좋은데요.

선생님도 기쁘세요?

그런데, 선생님. 궁금한 게 있는데요.

선생님 댁에서 보면, 바다가 보이나요?

전 바다를 무지 좋아하거든요.

그 중에서 말없이 부서지는 파도가 젤루 좋아요.

겨울바다! 생각만 해도 너무 좋은데요.

두꺼비집도 만들고, 소리도 지르고, 이름 쓰기도 하고,

파도랑 술래잡기도 하고…

꼭 이러니깐 영화의 한 장면이 그려지는데요. 내가 주인공인…

선생님!

이렇게 제가 횡설수설, 주절주절 떠들어 대는 이런 얘기들도

좋게 받아 주시는 거, 너무 감사해요.

소중한 분을 이 넓은 세상에서 또 한 분 찾았구나! 라는

생각에 너무 기쁘구요. 세상엔 좋은 사람이 있지만,

그 사람이 좋은 사람이라는 걸, 아는 건 쉽지 않거든요.

선생님,

그럼 전 이만 줄일게요.

OO 올림.

OOO 선생님께.

<푹푹 찌는 더위 속에 얼마나 이쁜 추억을 만드셨을까

　　끙끙 앓으며, 고민하면서 쓰는 첫 번째 편지>

그동안 안녕하셨지요?

또 저같이 말 안 듣는 학생 안 보셔서 편하시죠?

그래도 그리우시다고요?

저도 선생님이 무척 보고 싶어요!

이번 방학은 빡빡해요. 이것저것 해야 할 것도 많고, 가야할 곳도

많고… 요번엔 그 중 하나, 간부 수련회를 다녀왔어요.

비가 온 뒤라 차가 들어가는 둑이 무너져 빙그르 돌다가 내려

산길로 들어 갔어요. 덥고 무거운 짐도 많아 모두들 힘들었어요.

다른 사람들은 어떤지 모르겠는데, 제가 상상했던 곳과는 전혀

달랐어요.

화장실은 5분, 아니 5초도 못 견딜만큼 냄새가 독했구요.

닭장, 개울도 있고, 완전 시골 같아 정이 가는 곳이었어요.

방가로를 빌려주었는데요. 벌레가 붙어있고…

다시 다 청소했어요.

장기 자랑도 하고, 레크레이션도 하고,

선생님들도 노래 부르시고, 즐겁게 노셨어요.

'노래라면 **캡**이신 국어선생님도 오시지' 하고, 생각했어요.

하이킹도 하고, 개울과 강 사이인 냇가에서 놀기도 하고,

자연과 더불어 생활했어요. 밥도 지어먹고, 찌개도 끓이고.

저희 조가 찌개를 끓여 선생님들께 드렸더니, 상품으로

껌 3통을 주셨어요.

엄마들이 얼마나 힘드신지 경험했고, 자연이란 신비한 존재와

3일 지내 무척 좋았어요. 저도 많이 성숙해진 것 같구요.

거기에 나무 그네가 있었는데요.

너무 시원하고 재밌어요. 하늘을 날 것만 같아요.

선생님께서 타셨으면 춘향아씨 같았을 텐데요. 아쉬워요.

돌아올 때는, 선생님들의 도움을 받아 강으로 직접 건너왔어요.

2반 부반장, OO가 차 안에서 웃기게 춤을 추어서, 재밌게 왔어요.

느낀 것이 많은 수련회였어요.

근데 몸에 두드러기가 많이 났어요. 이유는 모르지만 가려워요.

그럼 이만 줄일게요.

더위에 몸 조심하세요.   제자, OOO올림.

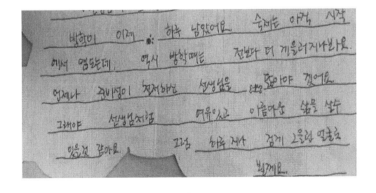

보고 싶은 선생님께

새 날이 시작된 지 여드레 되는 날입니다. 안녕하세요?

선생님 염려 덕분에, 지난 한 해 감사하게 보내고

새해를 맞이하였습니다. 기쁜 마음으로……

선생님께서 요즘 어떻게 지내시는지요?

저는 아직 집에서 지내고 있습니다.

업자(실업자) 생활은 하지만, 그래도 나름대로의

생활의 멋은 있는 것 같아요.

책도 읽을 수 있고(아주 차분하게),

언제 어느 시간이나 편지를 쓸 수도 있고

(물론 그리운 사람이겠죠)

지금 이 시간엔, 선생님이 제일 생각나고 그리워요.

누군가를 그리워한다는 건, 볼 수는 없지만

행복한 일인 것 같아요.

그리워할 대상도 없는 사람은 불행할 거라는 생각이 듭니다.

선생님, 바깥 날씨는 춥지만, 창으로 쏟아 붓고 있는 햇살은

무척 따뜻한 느낌입니다.

선생님, 새해 복 많이 받으셨는지요? 늦었지만 제가 드리는 복도

받아 주세요. 선생님께 드리고 싶은 것은,

건강과 미소와 행복이에요.

빠진 게 있다면, 다른 친구들이 메꾸어 줄 거예요.

선생님도 제게 복 하나만 주세요. 저는 올 해

얼마 못 받았거든요. 그래서 제 맘은 아주 가난해요.

고요가 가득한 이곳에 분위기 파악 못 하는

시계 소리만 울리고 있네요.

선생님께서 예전에 제 생일날 주신 볶은 콩은

금세 다 먹어 버렸지만, 그 고소한 맛은

아직 남아 있는 것 같아요. 만약 선생님이 가까이 계시다면

금세 가서 달라고 어리광을 피울 것 같은 기분이에요.

선생님,

이만 오늘은 맺을까 해요.

다음에 또 뵙기를 기원합니다.

날마다 좋은 날 되세요.

　　　　　　　　　　- 멀리 있지만, 아름다운 곳에서

　　　　　　　　　　　제자, OO 올림.

apple teacher.
선생님 못난 저희를
용서 해주세요.
앞으로는 더욱더 열심히 잘
하겠습니다.
선생님께 사과 편지를 드릴께요.
오랫동안 간직하세요.
저도 선생님을 쉽게 잊진 않을꺼
예요.
때로 더욱 열심히
선생님을 도와드릴께요.
지켜봐주세요. 실망은 No.

넷. 죄송해요

○○○ 선생님께

선생님 힘내세요.

선생님 아프신 것 너무 마음이 아프거든요.

선생님,

우리가 선생님께 너무 한다고, 생각은 들어요.

하지만 아이들의 한 때 사춘기 시절이라 생각하시고,

언제나 웃는 얼굴로 사세요.

선생님 찾아 뵙지 못해서 죄송합니다.

선생님, 자연을 좋아하시죠? 그래서 제가 꽃을 준비했어요.

언제나 항상 웃는 꽃과 함께 하세요.

이름은 밝히지 않을게요.

– 사랑하는 제자 올림.

* 선생님, 이름 밝히지 않는 이유는
  몰래 하고 싶어서예요.

선생님

지금까지 어디까지나

마음 편하고 대하기가 편한 시간일 뿐 아니라

배울 것도 많고 느낄 것도 많은 시간이었습니다.

하지만 지금 우리의 현실은 어떤 겁니까?

저희가 인문계 고등학교에 들어온 목적이 뭐죠?

단지 대학, 대학 때문입니다.

사회가 그토록 바라고 필수라는, 대학이라는 간판을 달기 위해서

지금 이 자리에 있는 거죠.

물론 저의 잘못이 큽니다.

매를 안 맞는다면, 성적에 들어가지 않는다면은 소홀히 해왔죠.

그건 더 이상 어떻게 변할 수가 없는 게 아닐까요?

지금 우리의 처지에서는요.

단지 내신 성적, 이런 것들에 묶여서 하루 하루를 살아가고 있는

저희에게는 무언가 청소년에게 있는 특별한 것도 없고,

감수성도 적어지고, 인간성마저 급격히 없어지고 있지 않습니까?

이건 다만 저희의 책임뿐만은 아니라고 생각합니다.

우리를 이렇게 자랄 수밖에 없게 만든 사회에게도 문제가 있죠.

고등학생은 사람도 아닙니까? 공부하는 기계인가요?

어떻게 좁은, 밀폐된 공간에서 수십명이 하루에 열 몇 시간씩

지낼 수가 있는 겁니까?

지금까지는 제 개인의 한 가지 바람일 뿐이에요.

오늘 이 일은 정말 죄송하지만,

변명이나 핑계는 아닙니다.

저희를 조금이나마 더 이해해 주세요.

지금도 정신적으로 압박 받고 있는 저희들을

선생님마저 저버리신다면,

저희는, 지치고 쓰러질 것 같은 저희는,

이제 어떻게 해야 합니까?

겨우 일주일에 두 시간 밖에 들어오시지 않는 선생님이

무척 기다려지는데, 그 시간마저 저희를 떠나신다구요?

저희 잘못 인정합니다.

하지만 기회는 아직 있지 않을까요?

저에게 기회를 주세요.

단지 저 뿐만 아니라 저희 반 저희 학교,

아니 우리 나라의 모든 고등학교 1학년 학생들에게……..

1~4, 000.

국어선생님께

선생님 안녕하셨어요?

선생님께서는 주말을 어떻게 보내셨는지 궁금해요.

선생님 화 많이 나셨었지요? 1-O반이 말을 너무 안 듣지요.

O반 때문에 선생님께서 손수건을 적시시며, 흘리신 눈물을

처음 보게 되었을 때, 저의 가슴은 너무도 아팠어요.

하지만 O반 모두는 선생님을 좋아하고, 존경하고 있다는 걸

잊지 마세요!

선생님, 정말 죄송합니다.

몸도 허약하신데, 괜히 우리들 때문에 더 아프시지는 않은지

궁금해요.

선생님, 저희 O반을 미워하시진 않으시지요? 이 편지는

나 혼자만의 것이 아니라, O반 전체 아이들의 반성으로

생각해 주세요.

선생님, 마음 편히 가지세요.

선생님께서는 우리 반을 위해서 온갖 힘을 다 쏟으시는데,

우리 O반 아이들은 선생님께 말썽만 피우지요.

선생님, 앞으로는 좀더 잘 하려고 노력할 거예요. 선생님께 비록

잘못은 했지만. 나름대로 잘못을 깨우치고 있을 거예요.

선생님 힘내세요. 언제까지나 용기를 잃지 마세요.

-선생님을 존경하는 제자 OO.

선생님께

안녕하세요, 선생님, 제 이름조차 말하기 부끄럽습니다.

이렇듯 부끄럽지만 선생님께 '죄송합니다' 라고

말하지 않는 이상, 선생님의 눈을 바로 볼 수 없을 거 같아

이렇게 pen을 들었습니다.

선생님, 전 어쩌면 선생님께서 말씀하신 것처럼

'그 까짓 것쯤이야~' 하고 한심한 생각을 했을 지도 모릅니다.

이런 무책임한 생각을 한 제 자신이 너무나도 부끄럽습니다.

하지만요, 선생님!

저는 물론 저희 모두 절대로 선생님의 말씀을 가볍게 여기거나,

한 귀로 듣고 한 귀로 흘려보내지 않는다는 걸 믿어주세요.

다만 이 번 저의 무책임한 행동은

그것에 대한 책임감이 부족했어요. 죄송합니다.

선생님, 선생님의 말씀 한 마디 한 마디가

저에게 많은 것을 생각하게 하고, 또 깨닫게 해준다는 것 아세요?

선생님. 선생님께 약속드릴게요

앞으로 제 자신에게는 물론 선생님께 부끄러운 OO가

되지 않도록 노력하겠습니다.

선생님! 사랑해요~

P.S. 선생님, 건강하세요!

선생님의 제자 OO 올림.

선생님.

저는 국어시간에 꾸중 듣고 선생님이 화나셨을 때,

뒤에 나갔었던 친구들만 혼나는 거라고 생각했어요.

저는 제 자신이 할 일을 다했으니까 혼나지 않을 거라고

생각했어요. 하지만 나중에 지도가 그려져 있는 칠판에

학습활동이 쓰여진 것을 보시고, 더 화를 내실 때 마음이 찔리고,

또 '아차!' 싶었어요.

전 시간에도 말씀하신 것이 생각났어요. 그래서 죄송했어요.

반성도 했구요.

선생님, 저도 속상한 게 있어요.

목요일날 4교시에 국어가 들었기 때문에 그 날 배울 부분,

'소년' 단원 개관을 썼어요. 쓸 것이 많아서 아침부터 서둘렀어요.

그리고 학습활동도 저희 조원들끼리 나눠서 썼구요.

3교시 때 사회 시간이었는데,

선생님께서 세계지도가 있는 칠판을 써야 한다고 하시면서,

다 지우시더라구요.

저는 안 된다고 조그마하게 말했는데 선생님께서 내 시간이니까

내가 쓸 수 있는 거라고 말씀하셨어요.

저도 그건 알지만 그래도 속상했어요.

바로 다음 시간이 국어인데 안 써 놓으면 꾸중 들을 것 같고……

시간은 너무 없고, 그래서 서둘러서 썼어요. 간신히 쓰기는

썼는데, 선생님께서 웃음으로 넘어가셔서, 저는 그냥

그렇게 생각했어요. 죄송해요.

그리고 여기에 적은 내용들은 선생님만 혼자 알고 계셨으면 해요.

다른 때는 몰라도 이렇게 반성할 기회가 생기면, 제 자신이

잘못한 것이 많은 것 같아요.

솔직히 수업 시간에도, 선생님이 전체적으로 질문하실 때

대답을 거의 안 했어요. 그 점도 반성할게요.

제가 느낀 것이 있는데

선생님은 다른 선생님들과 다르게 회초리를 쓰지 않으시고,

크게 혼내시지 않아도, 말씀하시는 자체가 힘이 있는 것 같아요.

준비물 안 가져와서 회초리로 맞는 것이 아니라 스스로 반성하고

강요는 하지 않으시면서, 우리가 해야 할 일은 꼭 하게 하시는

것이, 회초리보다 힘을 가지는 것 같아요.

그게 더 무서운 것이라고 생각해요.

그래서 국어 시간에 긴장도 많이 되구요.

앞으로 꾸중들을 일들은 안 하도록 노력할게요.

지켜봐 주세요.

- OOO

Dear OOO 선생님께

선생님, 안녕하세요? 저는 OOO예요.

이렇게 선생님께 편지를 쓸 수 있어 기뻐요.

먼저, 선생님께 걱정을 끼쳐드려 죄송하다는 말을 하고 싶네요.

저희 조가 오늘 선생님께 걱정을 들어서, 선생님도 많이
속상하셨으리라 생각돼요. 많이 걱정하셨을 선생님 생각을
미리 하지 못해 죄송하고요.

그리고, 선생님, 저와의 오해도 푸셔야죠.

점심 시간 때 상담실에서 울었던 것은, 제가 국어 노트에 끼어
놓은 엽서 때문이 아니고, 제 개인적인 사정이 있어서 그랬던
거예요. 절 믿어 주시고요. 오해를 풀어주세요.

아마도 선생님께서 저나 저희 조에 대한 믿음과 신뢰도가
전보다 떨어졌을 테지만, 앞으로 더 나은 조가 될 수 있도록
노력하겠습니다. 최선을 다해서요.

그리고 국어 공책 얘기인데요. 저는 정말 죄송스럽게 생각하고
또 부끄러워요. 제 짧은 생각으로 인해 우리 반 친구들과
선생님께 걱정을 안긴 거 같네요. 무슨 일이든지 하기 전에
미리 다시 한 번 더 생각해 보았어야 했는데, 짧은 소견으로
선생님께 걱정과 실망을 드려서 죄송해요.

노트 정리도 하지 않았으면서, 스스로 반성하기는커녕

선생님을 속였으니……

저희 반 아이들도 학교에서 하루 종일, 아니면 단 한 시간
수업 시간에 배운 내용보다도 더 중요한 것은 사람됨, 인간
됨됨이를 배우는 것이라고 생각해요.

선생님께서 수업 시간에 저희 반 아이들에게 꾸중하시는 것이
그때에는 듣기 싫고, 재미도 없지만요. 시간이 지나고,
시간이 흐른 뒤에 잘 생각해 보면, 선생님 말씀 틀린 것이
하나도 없고, 저희가 살아가면서 잊지 말아야 할 것만 말씀해
주시는 것 같아요.

'몸에 좋은 약이 입에는 쓰다' 했잖아요.

선생님의 그런 걱정의 말씀도, 모두 저희에게는 피가 되고
살이 되는 말씀뿐이세요.

그런 말씀 해 주시는 것도 감사하고요. 그리고 국어 노트에
대한 이야기는 더 할 것이 없어요. 더 말하면 그게 더 변명이
될 뿐이잖아요. 변명은 더 나쁜 거라고 생각됩니다.

선생님, 저희 조 더 열심히 할 테니깐, 믿어 주세요.

전보다 더 예뻐해 주시고요.

오늘 선생님께 저희 조의 나쁜 인상만 심어준 게 아닌가 하고
조심스레 염려가 됩니다. 또 선생님께 걱정만 끼쳐드려
죄송하게 생각하고요. 이제 다시는 이런 일이 없을 거예요.

열심히 하겠습니다.

지금 이 순간을 모면하기 위해 하는 말이라고 생각하시지는
말아주세요. 정말 진심으로 선생님께 죄송스럽게 생각하고,
이제부터
열심히 조활동 할게요.

To. 국어 OOO 선생님께.

선생님. 전 1학년 O반의 이OO라고 해요.

선생님, 어제(수요일) 국어시간에 제가 잤어요.

선생님은 열심히 시를 읊어 주셨는데, 전 자기나 하고… 정말

죄송해요. 선생님 앞에서, 친구들 앞에서 얼굴을 들 수가 없어요.

절 용서해 주세요? 네? 반성하고 있어요.

앞으로 국어시간에 잤던 것만큼 열심히 할게요.

너무나도 졸렸던 탓에, 그만 잔 것 같아요.

그 자리에서 선생님께 죄송하다고 말씀드리고 싶었어요.

친구들에게도요

하지만요! 도저히 부끄러워서 그럴 수가 없었어요.

죄송합니다.

1학년 O반 OOO 올림.

작문선생님께 드리는 OO이의 조그마한 글

먼저, 선생님 안녕하세요?

(인사성이 바른 OO인 언제나 인사를 잘하지요)

선생님께 저의 죄송한 맘을 전하고자 이렇게 조심스레
pen을 들었어요.

변명 같은 건 드리고 싶지 않지만, 저의 솔직한 얘기를 털어놓는
게 좋을 것 같아 말씀드릴게요. 저는 시나 일기 쓰는 걸 굉장히
좋아해요. 그래서 '마음의 친구[9]'를 만든다는 게 너무 좋았어요.
그치만 욕심이 많아서인지 예쁘게 한다는 맘에 정리하는 걸
미루다 보니 저두 모르는 사이에 많이 밀려버렸더라구요.
작문 노트를 볼 때마다 한숨만 나오고, 걱정도 많이 했어요.
그래서 정말 방학 동안에 정리 다 해놓고 선생님께 검사 받고
새 노트도 받고 그래야지 하며 생각하고 있었는데, 어제
선생님께서, "내일 가져와" 하시는 소리가, 왜 그리 싫던지요.
예쁜 저의 '마음의 친구'를 보여드리지 못하고, 시간에 쫓겨
대강 페이지 수만 채운 그런 노트를 보여 드리긴 싫었거든요.
저의 이런 맘도 몰라주시고 내일까지 가져오라고만 하시는
선생님이 잠시 동안 밉기도 했어요.

---

[9] '마음의 친구'는, '마음 속에 있는 모든 걸 털어놓을 수 있는
대상'으로서, '작문 공책'을 이르는 말.

선생님은 이렇게 말씀하시겠죠?

"예쁘게 꾸며진 것보단 보여주는 것에 의의가 있어"

그치만 제가 생각해도 철없는 생각이지만, 선생님께 예쁘게
잘 정리된 저의 노트를 보여드리고 싶어했던, 작은 욕심(?)을
알아주셨으면 해서, 약간은 건방진 듯한 글을 썼어요.

마지막으로 OO이가 드리는 한 마디, "담부턴 정리 잘 할게용!"

별 내용 없는 저의 노트지만 잘 읽어주세요.

이만 줄일게요.

말썽꾸러기 제자, OO올림.

선생님께

선생님, 수요일날 저 때문에 속상하셨죠?

제가 자꾸 창 밖만 내다봐서….

오빠가 줄다리기하고 있었거든요. 물론 이겼어요.

그때는 오빠를 보는 것 때문에 기분이 좋았는데, 생각해 보니까
선생님께서 기분이 나쁘셨을 거 같더라구요. 죄송해요.

다음부터는 수업 시간에 열심히 할게요.

OO올림

To. OO 선생님께

안녕하세용?

저 OO예요. 성은 O이구요.

우선 이 쓸쓸한 가을에, 선생님의 잔잔한 마음에 띠게 되어,

정말 죄송합니다.

근데 저도 왜 문제집을 빌릴 생각은 않고, 선생님께 갔는지

알 수가 없어요.

아무래도 이 나이에 환갑잔치를……

아! 오늘의 **특별사면**은 정말 감사드립니다.

아마 선생님이 아니셨으면 창피하고 몸도 아파서,

약을 먹을 정도였을 거예요.

제가 시에는 관심이 없고,

소설은 굉장히 좋아하거든요.

혹시 권장하고 싶으신 소설이 있으면 알려주세요.

그럼 이만 줄일게요.

침대 맡에서

선생님 마음의 작은 티끌 드림.

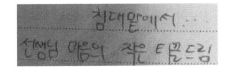

OOO선생님께

선생님, 안녕하세요? 조금 쑥스럽네요(헤헤)

저 OO예요.

오늘 선생님 속상하게 해드린 것 정말 죄송해요.

국어부장이 수업 준비도 다 준비하지 못 하고 말이에요.

저희 반 아이들도 다들 반성하던 눈치였어요. 저를 포함해서요.

선생님 제 맘 아시죠?

아까 쉬는 시간 거의 끝날 무렵, 아이들 거의 모두 뒤에 가는 걸
보니 선생님께서 눈 앞이 깜깜하실 모습이 느껴져 왔습니다.

그런데도 선생님이 계속 화를 내지 않으시고,

금방 따뜻한 웃음으로

저희들의 맘을 풀어주시려 하다니……

정말 감사합니다.

그리고 염치없이 저만 과제를 해왔다고,

떡하니 앉아 있었다니……

다음부터는 이런 불상사가, 절대 없도록 노력하겠습니다.

용서해 주세요.

선생님. 이만 줄일게요.

안녕히 계세요.

~ OO 드림 ~

○○○선생님께

안녕하세요?

선생님, 오늘 국어시간에 ○반의 잘못된 모습을 보여 드려서
죄송해요. 이젠 그런 나쁜 점 보여드리지 않을게요.

오늘은 기분이 별로인 날이었어요. 버스에서도 그렇고 집에서도
학교에서도……

내일은 선생님을 오전에 볼 수 있겠네요. 국어가 2교시거든요.

내일은 수업 준비 꼭 열심히 해 갈게요. 지금부터 열심히
해야겠네요.

선생님. '스승의 날' 하루만이 아니라, 우리에겐 365일 모두 다
'스승의 날'처럼 선생님께 잘 해드려야 한다는 걸 알면서도
그 일이 잘 실천되지 않는데…… 열심히 노력할게요. 전교에서
제일 착하고, 선생님 말씀도 잘 듣는 예쁜 반이 되도록요.

저희는 선생님을 아주 많이 많이 사랑하고 좋아해요.

그거 아시죠?

이젠 아주 아주 열심히 숙제도, 선생님이 주시는 선물(과제)도
열심히 해 갈게요. 말로만이 아니라, 정말 약속드려요.

선생님께서 국어시간에 내 주신 거요. 노래와 율동.

열심히 해볼게요.

요즘 걱정이 있어요. 우리의 국어부장, ○○가 아프거든요.

우리 반에서는 제일 친한 친구인데, 빨리 나았으면 좋겠어요.

선생님. 전 국어는 못하지만 국어란 과목은 무엇보다도 좋거든요.
그 이유가 선생님 때문일 거예요.
선생님. 내일 모레는 국어가 안 들었는데…선생님을 못 보겠네요.
어쩌죠? 선생님이 보구 싶어서.
이런 보잘 것 없는 글을 끝까지 읽어 주셔서 감사합니다.
안녕히 계세요.
　　　　From. 3학년 O반, OOO 올림.

사과선생님

웃는 얼굴도,

걱정하시는 얼굴도

너무나 이뻐 계속 보고싶은 선생님.

솔직히 '언어에 대하여' 조금밖에 안 읽었는데

나가서 꿇어앉는 것조차 잊었습니다.

죄송합니다. 앞으로는 숙제 잘 해올게요.

이건 뇌물이 아니라, 매일 드시는 차가 떨어졌을까봐 드리는

작은 정성이에요. 부담 갖지 마세요.

자주 찾아 뵙지 못해서 죄송해요.

사과선생님께

선생님, 저 OO예요.

선생님께 쓰는 첫 편지는, 원래 진정한 마음으로 써야 하는
것인데, 사실 이렇게 쓰기까지는 이유가 있어요. 그래서
죄송스런 마음, 부끄러운 마음을 어찌(?)할 수 가 없는 것 같아요.

우선, 선생님!

방학 동안 잘 지내고 계셨나요?

저는 방글라데시도 갔다 오고, 방콕도 갔다 왔어요. 그런데
여행치곤 너무 지루하던걸요? 선생님은 절대로 가지 마세요.

전 방학을 너무 허무하게 보냈던 것 같아요. 방학 숙제도
안 해서 개학고사는 엉망이었고, 매일 만화책만 보고…

참! 저번에 불러 주신 시, '꽃씨 한 개'인가?

그거 너무 좋더라구요. 특히 마지막 부분이요.

꼭 살아가는 데 있어서 반드시 잊어서는 안 될, 하나의
명언 같기도 하구요.

그리고 왠지 그 시를 생각하면, 선생님이 떠올라요.

아직 결혼 안 하고, 그렇게 살아가시는 선생님이
무척 부럽기도 하구요.

그 모습 잃지 마세요.

언젠가 먼 훗날

그 시를 생각하며, 선생님을 떠올릴 수 있게 말예요.

OO 드림. (♥)

선생님

죄송해요, 준비가 철저히 안 돼서.

오늘은 OOO 대신했어요. 다음 수업부터는 철저하게 준비할게요.

실수 같은 거 하면 고쳐서 더 열심히 해야지 했는데, 요즘은

능력 탓하고 좌절만 해요.

제가 더 많이 노력해서 오늘 같은 일 없이 수업 준비 다 하도록

하겠습니다.

정말 죄송해요. 중요한 시화인데도 계속 까먹어요.

많이 실망하셨을 거 알지만 그래도 계속 기대해 주세요.

죄송해요.

1-1반 OOO

* 애써 실망하심을 감추시는

　선생님의 모습에,

더욱 더 죄송해요

* 사랑을 나누어 주시는

국어선생님께,

1학년 1반이, 진정한 사랑을

전해 드리며……

머리 숙여, 죄송해요.

선생님께

선생님, 안녕하세요? 저 O이에요.

오늘 저희 조 때문에 속 많이 상하셨죠? 너무 죄송합니다.

선생님께서 저희를 위해 많이 애쓰시는 것 다 알아요.

애쓰시는 것 다 알면서, 선생님의 마음을 헤아리지 못한

저희들 용서해 주세요. 다음부턴 이런 일이 절대 없을 거예요.

저는 화요일날 선생님께 지적을 받아, 오늘은 정말 친구들과

열심히 하려고 했는데… 근데 또 다른 잘못을 했네요.

앞으로 더욱 더욱 보충해 나갈게요. 처음 조별로 앉았을 땐

이런 일이 없었는데, 왜 조금씩 조금씩 흐트러지는지…

저희 조가 열심히 하는 모습을 선생님께 보여드릴게요.

수업 준비도 가장 먼저 나서서 하고, 다른 조의 모범이 되는

조로도 노력을 많이 할게요. 그리고 화요일날처럼 그런 일은

앞으로 절대 없을 거예요.

그때 다른 안 좋은 일이 있었어요. 그래서 기분이 안 좋아서

그런 거예요. 이해해 주세요. 다음부턴 주의할게요.

저는 선생님께서 저희 조를 미워하시는 줄 알았어요. 제가

생각이 짧았던 것 같아요.

선생님의 깊은 뜻을 제가 몰라서 그런 생각을 했나 봐요.

철없는 저희를 이해해주실 거죠? 정말 죄송합니다.

최고보다 최선을 다 하는 '부싯돌조'가 될게요.

최고보다는 최선을 다하는 부싯돌조!!
노력하는 부싯돌조!!

<나의 다짐>

화요일날 선생님께서 해 주신 충고 정말 감사합니다.

"OO는 국어성적이 향상하기에, 듣기가 부족한 것 같아"

이 한 마디, 마음에 무척 와 닿았어요.

제가 부족한 점이 있으면 저에게 충고를 해주세요.

고치도록 노력 많이 할게요.

앞으론 친구들과 떠들지 않고, 다 같이 국어시간에 내주신

과제를 열심히 해결하도록 할게요.

이런 자세로 3학년을 끝까지…

그리고 '대충대충', 그런 생각을 버리고,

'열심히' 라는 생각으로 할게요.

선생님께서 저와 저희 조를 지켜봐 주세요. 아셨죠?

더욱 더 저 O이 많이 노력할게요.

선생님의 기대에 어긋나는 행동은

하지 않겠습니다.

제자, OO 올림.

Dear 선생님께

선생님 안녕하세요. 매일 보니까 안부는 묻지 않을래요.

선생님, 오늘은 정말 죄송했습니다.

저 한 명만 아니라, 우리 반 아이들이 거의 시험지를 안 가지고

와서, 화내시는 선생님이 진짜 무서웠어요.

제가 만약에 선생님이라고 해도 화가 났을 거예요.

1~2명이 안 가지고 온 게 아니라, 우리 반 거의가 안 가지고

왔으니까요.

저 선생님께 그렇게 꾸중 듣고도, 시험지 또 안 가지고

갈 뻔했어요. 방금 생각이 났거든요.

선생님이 저희 반을 사랑하고 아껴 주시는데,

저희가 이러면 안 되겠다는 생각이 들었어요.

선생님이 그래도 저는 선생님을 언제나 좋아해요.

요즘 선생님의 인기가 아주 높아요.

선생님은 제가 힘들고 그러면 제 기분을 풀어주시는 거 같아요.

선생님을 보면 언제나 제 기운이 마구 솟거든요.

선생님,

오늘을 바탕으로 이런 실수는 절대 하지 않겠습니다.

안녕히 계세요.

OOO.

국어선생님께

안녕하세요? 저는 OOO입니다.

목요일 일은 죄송합니다.

음악부장인 OO이와 합창대회 때문에 곡을 선정하러 음악실에 올라갔다가 종소리를 못 들은 탓에 그만 늦게 내려왔습니다.

정말 죄송합니다. 저로 인해 많은 친구들과 선생님이 수업을 못해 피해를 보았으니까요.

사과드립니다.

그리고 이 나뭇잎은 쥐엄나무라는 것의 잎이에요.

요 몇 주 동안 엄마께서 다른 나라 몇 군데에 다녀오셨거든요.

이 나뭇잎은요.

이스라엘 '유대인 학살 기념관' 앞에서 가지고 오셨대요.

길쭉한 이것이 그 열매예요. 이름은 쥐엄 열매이고요.

그리고 밤처럼 생긴 것은요. 너도밤나무라는 열매인데

우리 나라 밤과 같은 거래요.

또 이 열매의 나뭇잎은 '마로니에'라고 한대요.

프랑스 파리의 베르사유 궁전에서 가져오셨어요.

언제나 저희에게 사랑을 주셔서

감사드립니다.

OOO 드림.

To. 시를 사랑하시는 OOO선생님께

선생님, 안녕하세요?

무수히 많은 학생들 중에서 제가 누구인지 모르시겠죠?

저는 3학년 O반 OOO이라고 해요.

화요일 어제, 선생님 많이 화나셨죠?

죄송해요.

앞으론 그런 일 없도록 꼭 노력할게요.

화가 나시면서도 음악 틀어주시고, 시도 들려주시고…

선생님은 참 다른 선생님들과 다른 것 같아요.

다른 선생님들처럼 화내고, 수업도 하지 않으시는 것보다

화나도 기분 전환 음악 틀어주며, 시도 읊어주시고,

애써 웃음 지으며,

너그러이 용서해 주시려 애쓰는 모습!

그런 모습 보며, 정말 더욱 더 죄송했어요.

죄송해요, 선생님.

그런 의미에서 (어떤 의미냐구요? 선생님께 죄송한 마음요)

제가 선생님과 어울리는,

시 한 편 소개해 드릴게요.

다 아실 테지만, 부디 모르는 척….

강강술래

               – 이동주

여울에 몰린 은어떼
삐비꽃 손들이 둘레를 짜면
달무리가 비잉 빙 돈다
‥‥‥ (중략)[10]
강강술래
강강술래.

선생님!
달이 빛나는 밤에
선생님처럼 머리를 길게 딴 처녀들이
둥그렇게 모여서
강강술래, 강강술래 하며 외치는 게
머리에, 어느 한 장면처럼
스쳐 지나가지 않으세요?

           From. 3학년 O반
             OOO 올림.

---

[10] 저작권상 중략

OOO 선생님께 = 사과 선생님께

안녕하세요?

오늘은 5월 15일 스승의 날……

이 날을 계기로 선생님께 편지를 띄웁니다.

매년 맞는 스승의 날이지만, 기분이 색다르네요. 왜냐구요?

왜냐하면 고등학생이 돼서 처음으로 맞는 거라 그런 것 같아요.

선생님!

전 선생님을 볼 때마다 하나의 나뭇잎을 보는 것 같아요. 너무
약하세요. 그 때문에 아침 저녁으로 선생님을 뵙지 못하잖아요.
선생님께서 갖고 오신 밥, 못난 저희들 주시지 마시고, 선생님
드세요. 저희들은 왕사탕, 참라면, 엿, 그리고
선생님께서 들려주시는, 아름다운 시 한 편이면 돼요.

선생님, 못난 저희들 때문에 힘드시죠?

몸도 약하신데, 저희들이 죄를 많이 짓는 것 같아요.

매시간마다, '이러면 안 되지' 하며 다짐하기도 여러 번이에요.

그런데 마음먹은 대로 잘 안 되는 것 같아요. 선생님한테 반항도
많이 했고, 하면 안 될 소리도 많이 한 건 사실이에요. 그래서
선생님께서는 저를 예의 없는 소녀라고 생각하실 거예요.

하지만 선생님, 이 날을 계기로 죄송하다고…

예의 없게 행동한 저를 용서해 주세요. 늦게나마 선생님께
용서를 빕니다. 부탁드려요.

잘 하겠습니다. 앞으로, 아니 지금부터 달라질, 그리고 변심한
OO이가 되겠습니다.

선생님

선생님께서 저희들에게 베풀어 주신 은혜, 정말 감사드립니다.

아무쪼록 밥도 많이 드시고, 사과도 많이 드셔서,

살도 많이 찌시고, 건강하셔야 돼요.

 다시 한 번 축하드려요

& 사랑해요

　　　- 제자 OO드림 -

존경하는 선생님께

선생님,

많이 속상하셨죠? 죄송해요.

선생님 처음 뵙고 나서, 기분이 참 좋았어요.

왠지 모르게 편안하고, 다정한 느낌이 들었거든요.

제 느낌이 맞았나봐요.

국어시간이 편안했거든요. 지금까지도요….

얼마 전 선생님께서,

"요즘 우리 부모님께서 편찮으셔서 매우 힘들어요" 하고
말씀하셨을 때부터 많이 힘들어 하시는 것 같았어요.
그런데 친구들이 숙제, 준비물 준비를 해오지 않은 일로 인하여
더 힘드실 텐데, 한 두번씩 기회를 더 주시는데도 그 기회를
활용할 줄 모르는 친구들 때문에 더 속상하시죠?
전 발표도 많이 하고, 수업시간에 잘 하려고 하는데
발표만은 할 용기가 나질 않아요.
학기초부터 '선생님의 눈에 띄고 싶은데…'라는 생각은 있었지만
성격이 아주 활발한 편도 아니고, 특별히 잘 하는 것도 없어서,
목표달성을 하지 못했어요.
학기초에 내는 자기소개서도 잘 쓰려고 했는데, 다른 친구들과
비슷해서 선생님 눈에 띄지 않았구요.
이렇게 선생님께 말로 하지 못했던 것을 글로 쓰니, 마음이
편안해졌어요.
선생님, 많이 힘이 드시더라도 힘내세요.
열심히 하겠습니다.
선생님!!
사
랑
해
요!

OOO 선생님께

선생님 안녕하세요? 저는 1학년 1반에 있는 OOO라고 합니다.

어제 국어 숙제를 해오지 않아 벌섰던 그 학생입니다.

어제는 정말 창피하고 부끄러웠습니다. 또한 집에 와서도

많은 반성을 했습니다. 선생님 정말 죄송합니다.

앞으론 숙제를 잘 해오겠습니다. 약속할게요.

선생님, 저를 믿어주세요. 그런데 왜 이렇게 떨리죠?

아무래도 선생님께 쓰는 편지라서 그런 것 같아요.

선생님,

전 어제부터 이상하게 선생님이 좋아지는 것 같아요.

하긴 전에도 그러긴 했는데, 더 마음이 쏠리는 것 같아요.

벌선 것 때문인지도 모르지만, 아무튼 선생님이 좋아졌어요.

왠지 친근감이 느껴져요.

딴 분 같으셨으면 숙제를 해오지 않았기 때문에, 야단이나 매로

다스리실 것 같은데, 선생님께선 오히려 다정하게 대해 주시며,

앞으론 숙제를 잘해오라고 격려해 주신 것이 저에게,

사랑의 매보다 더 진한 사랑을 느꼈습니다.

선생님, 고맙습니다.

그리고 일 년 동안 부족한 저를 잘 부탁드립니다.

안녕히 계세요.

OO 올림.

선생님께

아침 하늘이 싱그럽게 느껴집니다. 비록 눈부시게 맑은 하늘은
아니지만, 가을이 익어가는 모습을 바라보며, 제 마음도 무엇인
가로 채우고 싶은데요. 그 무엇이 언뜻 떠오르지 않습니다.

하루가 다르게 노랗게 익어 숙여지는 이삭과, 바람에 하늘거리는
코스모스는 가을의 정취를 만들기에 여념이 없는 이 시간에
좀 더 열심히 생활해야겠다는 마음이 떠올랐구요

선생님께는 편안한 마음으로 글을 쓰고 싶었습니다.
여느 국어 선생님과는 다르게 편안하게 말입니다.
뭐라고 해야 할까요? ···. 선생님께서는 부족한 글일지언정,
어여쁘게 생각해 주실 것 같았거든요.

제가 이렇게 생각하는 것을 허락해 주시겠지요?
가끔씩은 이렇게 작은 글이나마 쓰고 싶거든요.
요즘 선생님 힘드시죠? 제가 생각해봐도 요즘 우리 반이
예전 같지가 않아요. 더 산만해진 것 같고.

선생님께서는 힘들어 하시는데, 제가 도와 드리지 못해서
죄송한 마음이 항상 들어요. 수업에 도움이 되는 작은 일이라도
제가 도움이 된다면 부탁해 주세요. 도와 드리고 싶거든요.

선생님! 추석이 돌아옵니다.
가족들과 함께 건강하고, 즐거운 추석이 되시길 바라겠습니다.
언제나 건강하세요.

Dear OOO 선생님께

선생님께 죄송한 마음에 pen을 들어봅니다

'스승의 날'엔 기쁘게 해드리기는커녕, 약속도 어긴 채 집을
향했습니다. 차 시간도 됐고, 친구들이 가자 하여 선생님께
들린다던 생각이 꺾였습니다.

저 역시 선생님과 종이배를 만들어 강물, 아니 시냇물에 띄워
보내고, 종이 비행기에 꿈을 담아 날려 보내고, 학을 접어 소원을
빌어보고 싶습니다.

이런저런 일이 생겨서 그럽니다 하고 변명하고 싶지는 않은데
항상 그런 아이가 되어버리고 맙니다.

죄송해요!

어제는 무언가 하고 싶은 생각에 그림을 그려보았습니다.

너무 오랜 만에 그림을 (보고 그린 거예요) 그려봤는데, 선생님께
드리고 싶어서 복사를 했어요. 어때요?

선생님 취미랑은 약간 벗어나는 그림이지만, 예쁜 그림 같아
보여서 그려봤습니다.

아침 일찍 일어나 창가에 앉아 이 책 저 책 뒤적이고 있는,
소년(남자아이 같아요? 여자 같아요?)의 모습에서, 아름다움을
찾아볼 수 있습니다.

꼭 창밖으로 새소리가 들려오고, 상쾌한 바람이 불어오는 듯
느껴집니다. 어때요?

선생님께도 싱그런 꽃 향기가 전해지는 것 같지 않으세요? 그림
한 장에도 수많은 상상을 하고 나면, 저의 기분은 몇 배 더
즐겁습니다. 모든 것을 긍정적으로 보기 위한 노력은 자연의
아름다움 덕분일 것입니다.

아차!

저희 반엔 '우편함'이 있어요. 그래서 큐피트 2명이,
배달을 하는 사랑의 전달자가 된답니다.

텅 빈 교실에서 외로이 편지를 기다리고 있을, 우편함을
생각해 봅니다.

2학년이 되어서 제 1의 소망이 무엇인지 아세요?

반 친구들 모두에게 각각 1통 이상 편지 쓰기입니다.

제가 실천할 수 있게 도와주세요.

(마음 속으로 바라기만 해주시면 돼요).

매일 한 통 이상 편지 쓸 수 있는 아름다운 마음과, 사랑의
마음을 전할 수 있는 능력 갖출 수 있도록 노력해 보겠습니다.

분명 선생님께서는, 환한 빛으로 바라보시겠죠.

상상할 수 있어요.

그렇듯 예쁜 미소를 하루 종일 간직하시어,

학생들이 기운 내어 공부할 수 있게 도와주세요.

많은 학생들에게 희망이 되어 주시는 선생님이 되시길 바랍니다.

OOO 올림.

To. OO 선생님

안녕하세요.

지금은 너무 추운 날씨이죠.

감기 걸리신 거는 아니겠죠?

선생님은 목 쉬면 충격이 있을 거 같아요.

왜인 줄 아세요?

선생님은 목소리가 아름다우시잖아요.

선생님,

요즘에 감기 걸리기가 알맞은 철이니, 이젠 치마를 입지 마세요.

치마 입는데 다리가 얼 정도예요.

선생님,

전 저희 반 추석 전 일을 미안하다고 봐요.

그리고 선생님, 힘내세요.

선생님 사랑해요.

그리고 존경해요.

공부 열심히 할게요.

제자 OO 올림.

* 사랑스러운 우리 국어선생님,
  항상 밝고 명랑하세요.

선생님.

저는 선생님과의 약속을 조금 어긴 것 같습니다.

뒤에 가 있지 않겠다고 약속을 했는데, 그것을 어긴 것 같습니다.

열심히 한다고 뽑혔는데, 더 잘해야 하는데… 하는 생각뿐입니다.

저는 항상 실천보다 약속만 거창했습니다.

잘 지킬 수 있고 또 노력하는 모습을 보여 드려야 하는데,

말로만보다는 행동으로 그것을 보여 드려야 하는데,

선생님께서 저희들을 아껴 주시고, 사랑해 주시는 만큼,

저희도 선생님께 노력하는 모습,

열심히 하는 모습을 보여 드려야 하는데,

매일마다 '오늘은 잘 해야지',

'오늘만은 꼭 칭찬을 받아야지' 하면서,

몇 번씩 다짐하면서도 생각뿐입니다.

선생님과 제대로 상담도 못 해보고,

매일 상담하고 싶다는 마음뿐, 하지는 못했습니다.

전 제가 선생님께 해드리는 것이 아니라,

선생님께서 저희에게 해 주시는 것인 줄 알았습니다.

하지만 그런 것이, 아닌 것 같습니다.

저희가 선생님께 더 잘하고, 열심히 하는 모습을 보여 드릴 때

비로소 선생님께서도 더 힘이 나고, 잘해 주신다는 것을,

전 이제야 깨달았습니다.

2학기 생활 계획표를 다시 정리하면서, 전 3가지 공약을
선생님께 말씀드리겠습니다.

첫째로는, 숙제를 잘 해오겠습니다.

시험공부나 다른 숙제를 하다 보면, 국어 숙제를 놓치는 경우가
종종 있었습니다. 그래서 뒤에 나가서 선생님께 꾸중을 듣고
들어온 때가 있었습니다.

결코 가끔이라고는 말씀드리지 않겠습니다.

사실 국어 조장들이 생기고 나서는, 숙제를 쪼금씩 해오고 해서
선생님께 칭찬도 받고 싶고, 아이들한테 과시도 하고 싶고
했습니다.

하지만 전 이제 선생님께서 보시거나 보시지 않거나,
언제 어디서나 열심히 하는 모습 보여 드릴 것입니다.

둘째, 선생님께서 묻는 말에 대답을 잘 하겠습니다.

솔직히 전에는 졸기도 하고, 묻는 것이 조금은 짜증이 나기도
해서, 대답도 안 하고, 그냥 논 적도 있었습니다. 다음부턴
예습, 복습 잘 해서 대답도 열심히 하는, 착한 OO가 되겠습니다.

셋째, 준비를 잘 하겠습니다.

사전, 노트, 책 등 국어에 관련된 것의 준비를 잘 할 것입니다.
1학기 땐 사전을 가져 오기 싫어서 옆 반 가서 급하게 빌려오고,
숙제도 하기 싫어서 학교 일찍 가서 친구들 거 베끼고, 국어책도
어디 있는지 몰라서, 사물함 급하게 가서 찾고,

그런 일이 조금 있었던 것 같습니다.

전 2학기 때 처음 말씀드린 것 중에서,

이것 만은 2학기 초에 지킨 것 같습니다.

책, 노트, 사전을 2학기 때는 잘 챙기려고 노력했습니다.

이 3가지 공약을 물론 다 지키기는 어려울 것입니다.

하지만 전 이 세가지 공약을 꼭 지키기보다는, 지키려고

노력할 것입니다.

그리고 어려운 일이 있거나 힘들고 상담하고 싶은 일들이 있으면

주저하지 않고 선생님께 말씀드리겠습니다.

선생님,

제가 잘 하지 못하고, 조금 나쁘다고 생각하시는 부분이 있으면

충고를 많이 해 주세요.

그리고 제가 잘 해가고 있으면, 칭찬도 많이 해주세요.

선생님의 충고와 칭찬을 받아가면서,

저희 O반은 더 노력하는 반이 될 거예요.

물론 저도 마찬가지예요.

마지막으로 선생님께 드리고 싶은 말은,

　　"선생님,

　저희는 선생님을 사랑해요.

　힘내세요!"

　　　　　　　　　　　OOO.

선생님

저번에도 한 번 선생님께 큰 잘못을 저질렀는데,
또 이렇게 선생님을 힘들게 해 드려서 죄송합니다.
3월초부터 쭉 지금까지, 선생님께서 아프셔도 쉬지 않고
열심히 가르쳐 주시는데, 저희가 자꾸 실수를 하는 것
같습니다. 앞으로는 실수없이 조 아이들과 협력해서,
재미있고, 즐겁게 수업하겠습니다

그리고 선생님!

그동안 선생님 몰래 수업 시간에 딴 생각도 하고, 졸기도 하고,
조장이 되어서도 조장으로서의 임무를 제대로 못하고
발표할 때 목소리도 작게 해서 죄송해요.
그리고 아이들과 의논할 때도 말도 잘 안 하고
의견도 잘 안 내세우고…
반성을 해도 그게 잘 안 고쳐져요.

하지만 선생님

제가 꼭 자신감을 갖도록, 열심히 노력하겠습니다.
선생님께서 하신 말씀을 생각하면서요.
그리고 항상 저희들을 위해서 아프고, 힘드신 데도
밝은 미소 지어 주신 점, 정말 감사합니다.
저도 앞으로 선생님의 그 모습을 본받아
힘들고 지쳐도 사람들에게,

항상 밝은 미소를 지어 줄 수 있는, 사람이 될게요.

선생님!

앞으로 저희 조가 잘못하면, 선생님께서 많이 꾸짖어 주세요.

그리고 "초일심, 최후심", 선생님께서 하신 말씀,

항상 생각하면서,

끝까지 열심히 하겠습니다.

Dear OOO선생님께~

안녕하세요. 저는 3-O반 OOO라고 해요.

날씨가 어느새 여름 날씨가 되었어요.

너무 더우시진 않으세요? 저는 약간 더운 거 같아요.

비 오는 날을 좋아하시는 선생님은 여름 날씨도 좋아하시나요?

저는 좋아요.

스승의 날을 맞아 이렇게 선생님께 펜을 들었어요.

큰 선물은 아니지만 조그만 정성이니 받아주세요.

다른 학교는 오늘 2교시밖에 안 한다는데, 저희 학교는 왜 정상
수업을 하는지 모르겠어요. 2교시 정도만 하면 저희들도 좋고,
선생님들도 좋잖아요.

그리고 어제 죄송해요.

방과 후 활동 때, 열심히 잘 안 하고 딴짓만 하고…..

정말 죄송해요. 날씨도 덥고 짜증이 나서 그만……

선생님 이해해 주세요.

저희 나이 때는 다 이러니까요. 호호호……

선생님이 국어선생님이라서

글을 잘 못 쓰면 어떻게 하나 걱정이에요.

글을 잘 쓰지는 못하지만, 솔직한 제 마음 그냥 받아주세요

애들은 다들 꽃도 사고, 선물도 사는데 저는 못 사서 속상해요.

부모님께 돈 달래기도 미안해서 못 달라겠어요.

경제가 너무 어려워서, 나라가 너무 너무 안 좋고,

가정도 너무 너무 안 좋아지는 거 같아요.

하루 빨리 경제가 좋아졌으면 좋겠어요.

마지막으로, 공부 열심히 해서

선생님께 후회하지 않는 모습 보여 드릴게요

그럼 이만 줄입니다. 안녕히 계세요.

P.S. 선생님, 몸 건강하시고요. 사랑해요.

저희 3-○반이 힘들게 하더라도, 참아주세요.

속마음은 선생님을 사랑하니까요.

제자 ○○올림.

국어선생님께

안녕하세요? 선생님. 전 OO예요.

먼저 이런 편지로 찾아 뵙게 돼서, 죄송스럽습니다.

요즘 날씨가 무척 춥죠?

이런 날씨에 선생님께 따뜻하게 해드리지 못하고

마음 한 구석을 서늘하게 만든 것 같아서, 너무 죄송해요.

다른 시간도 물론 열심히 해야겠지만,

전 국어시간만큼은 열심히 하고 싶었거든요.

하지만 별로 노력도 하지 않고, 열심히 하지 않은 것 같아요.

다른 시간에는 상상하기 힘든, 음악이 있는 국어시간,

너무 좋은 것 같아요.

선생님의 해맑은 미소를, 전 너무 좋아하거든요!

앞으론 선생님 얼굴에 환한 미소를 많이 안겨 드리도록

노력할게요. 미리 시도 많이 읽어보고, 문제집도 풀고,….

믿어주세요!

그럼 이만 줄이겠습니다.

행복하세요

O반 OOO 올림.

○○○선생님께

선생님, 정말 죄송해요.

며칠 동안 저희 반이 선생님께 멋있는 모습 보여드리지 못하고,
실망만 시켜드려서……

오늘은 선생님께서 목소리까지 높이시면서, 나무라시는 것을
보며, 국어시간에 저희들이 얼마나 선생님 속을 썩여 드렸는지
알 것 같았어요.

하지만 오늘 일로 인해, 저와 저희 반 모두 많은 것을
느낀 것 같아요.

사실 저도 국어시간마다 본관에 다니면서,

칠판에 내용 정리를 하면서 투정을 한 적도 있었어요

귀찮기도 하고, 힘도 들고 해서.

하지만 알고 보면, 모두 제게 도움이 되는 일인데도 말이에요.

앞으로는 기쁜 마음으로 모든 일을 할 수 있을 것 같아요.

국어시간에도 전보다 더 충실하고, 준비도 잘 된 저희 반이
되도록 열심히 노력할게요.

그래서 더 이상 선생님께서 저희 반 때문에 속상해하시지 않도록.

참!

나무라신 후에 다시 전처럼 웃어 주셔서 너무 감사드려요.

선생님께서 다시 웃어 주셔서, 오늘 점심이 더 맛있었던 것
같아요.

정말 감사합니다.

전 편지를 멋있게 못 써서, 편지 쓰기 전에

먼저 연습을 하는데도 이래요….

멋있고 유창한 글솜씨는 아니지만, 이렇게라도 선생님께 편지를

쓸 수 있게 되어서 기뻐요.

선생님께서도 그동안 저희 반이 실망시켜 드렸던 것

다 용서해주시고, 처음 마음 그대로 저희 반 많이 사랑해 주세요.

그리고 이거 아시죠?

제가 선생님 많이 많이 사랑한다는 거.

제 성격이 좀 그래서 표현은 잘 못하지만,

정말 많이 많이 사랑해요.

다음 국어 시간에도

선생님께서 활짝 웃는 얼굴로 들어오셨으면 좋겠어요.

그럼 이만 줄일게요.

선생님 힘내세요.

즐거운 국어 수업을 기대하는 ○○올림.

선생님.

안녕하세요!

이게 얼마 만이에요 제가 선생님께 편지 쓰는 게….

지금 선생님 시간이에요.

선생님께서 저희에게 어떤 얘기를 해주고 계세요

(딴짓 해서 정말 죄송해요)

그런데, 지금 제가 선생님 앞에 앉아 있거든요.

맨 앞 자리 말이에요.

그런데 아주 좋은 걸 발견했어요.

뭐냐면, 음~ 선생님에 대한 건데요. 궁금하시죠?

맨 앞에 앉으니까 선생님을 올려다보게 되잖아요?

밑에서 보니까 선생님 두 눈이 참 예쁘다고 느꼈어요.

앞에서 보는 것보다 밑에서 보니까, 쌍꺼풀이 더 예쁘게 보여요.

○○이랑 저랑 자세**회** 관찰(?)했거**들**요.

↓   ↓

'히'(보수)   '든'(또 보수)

선생님, 이만 쓸게요. 지금은 수업시간이니까요! (히히)

안녕히 계세요—

p.s. 수업 시간에 선생님 말씀 안 들어서, 정말 죄송해요.

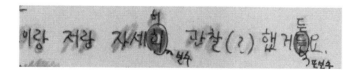

선생님께.

안녕하세요, 선생님.

아침 일을 사과드리기 위해 두서없이 이렇게 몇 자 적습니다.

아 참. 제 소개가 빠졌네요. 오늘 아침 O희하고 같이 선생님을
찾아 뵙던 아이예요. 'OOO'이라는 이름을 가진 아이예요.

외울 수 있으세요 (3초 간 시간 드립니다).

선생님, 아침 일은 제가 생각이 짧았다고 생각하고 있어요. 그런
일은 내 스스로 해야지, 정말 선생님 제자인데….

선생님, 귀엽게 봐주실 수 있지요?

선생님, 그리구 부탁 못 들어주셨다고 마음 쓰시지 마세요.

선생님 제자답게 제 스스로 해볼게요. 선생님, 정말 죄송합니다.

그리구요, 선생님. 이것도 부탁인데요.

제 이름 석자를 기억해 주실 수 있으시죠? 얼굴도요.

아까 무지 O희가 부러웠어요.

선생님께서 "O희" 라고 불러 주시는 것이요.

선생님, 이건 이 제자의 중대한 부탁이니 제발 거두어 주십시오.

그리구 고민이나 걱정이 있으면, 또는 즐거운 일이 있으면
자주 pen을 들고 싶은데, 괜찮지요?

그럼, 이만 pen을 놓을게요.

　　　　　　　　　선생님의 용감한 제자가 되고픈 OO이가.

P.s.: 선생님을 알게 되어, 이 순간 무지 행복합니다.

존경하는 선생님께

안녕하세요? 못난 제자 OO이에요.

선생님, '스승의 날'에 용서해야 하는 제자가 있어요.

누군지는 잘 아시겠지만…

그동안 단 한 번도 못 찾아뵌 것, 정말 죄송합니다.

정말루------요.

그래서 이렇게 편지를 쓰는 중이에요. 용서를 빌려구요.

이번에도 담임 안 맡으셨죠?

선생님은 몸이 너무 허약하세요. 제가 생각하기에는요.

선생님!

전 선생님 덕분에 국어도 자신 있고, 그리구 시와 노래두

좋아하게 되었어요. 모두 다 무엇이든

사랑하는 선생님 덕분이에요.

감사합니다.

아, 참! 이 네 잎 클로버는요.

제가 선생님께 드리는 사랑의, 그리구 행운의 선물이에요.

맘에 드세요? 헤~~

잘 간직해 주세요. 자주 찾아가서 확인할 거예요. (히히)

선생님! 그럼 이만 줄일게요.

선생님, 사랑해요!

OO올림.

선생님께

안녕하세요?

선생님. 여기 있는 분이 누군지 아세요?

바로 선생님이세요.

선생님의 실제 모습보다

더 못 그린 것 같아요.

선생님께서는 마음에 드세요?

선생님. 죄송해요.

저 번 버스 정류장에서 저희랑 만나셨죠?

그 때 선생님께서

"추운 교실에서 열심히 공부하다 가는구나!"

하셨을 때

제가 "예!"라고 대답했죠.

그건 사실 거짓말이었어요.

학교에서 놀다가 늦은 거예요.

정말 죄송해요.

그래서 편지를 드려요.

그럼 안녕히 계세요.

존경스러운 선생님께.

안녕하세요!

선생님, 일단 죄송합니다.

주말에 많이 반성하였습니다.

제가 무엇에 대하여 반성을 하였냐면,

첫 번째, 선생님께 거짓말을 해서입니다.

무엇에 대해 거짓말을 했냐면, 친구들의 이메일을 써서 선생님께

보내 드리는 것에 대해서 거짓말을 하였습니다. 선생님의 귀한

시간을 낭비하게 한 점 등 … 정말 죄송합니다.

두 번째 잘못한 점은,

선생님이 말씀하시는데, 또박또박 토를 단 점입니다.

반장으로서 선생님에게 꾸중을 듣는 거는, 마땅한 일입니다.

이번 일로써 더 이상 거짓말을 하거나, 대드는 일이 없도록

하겠습니다. 그리고 반장으로서, 더 나은 반장이 되도록

더욱 열심히 하겠습니다.

죄송합니다.

그리고 감사합니다.

From. 헌신하는 OO이가.

5. 25. 일요일. 8시 15분에.

선생님께 드리는 글

선생님! 정말 죄송해요.

선생님께서 화내시는 걸 보고 매우 놀랐어요. 그리고 선생님께서
너무 힘들어 하시는 것을 보고 정말 마음이 아팠어요.

다시는 그런 실망 안 시키도록 저희도 노력할게요.

선생님께서 그렇게 큰 소리를 내실지는 상상도 못했어요.

항상 다정하시고 그럴 것 같았어요.

그런 거 있잖아요.

'저 사람은 화장실도 안 갈 것 같다'

선생님을 처음 뵙고, 또 지금까지 수업을 받으면서 해온
생각이에요. 한심하죠? 이런 생각을 가진 아이들이

나를 이렇게 실망시킬 수가! 지금 이런 생각을 하셨죠?

실망시켜 드린 만큼 그 배로 저희가 더 잘 할게요. 수업 준비도
철저히 하고, 수업 시간에도 정신 차리고, 공부 잘할게요.

오늘 일은 어느 한 사람의 잘못이 아닌 우리 모두의 잘못이기에
더 죄송했어요.

다음부터는 절대 이렇게 안 좋은 일 다시 일어나지 않게
저희두 노력할게요. 정말루요.

언제나 선생님의 얼굴에 미소가 떠나지 않도록 할게요.

수업시간에 칠판에 그려 주신, 그 웃고 있는 예쁜 꽃처럼 말예요.

선생님, 저희 믿으시죠?

믿는 도끼에 발등 찍히면 무지 아플 거예요.
아프지 않도록 선생님 발등을 감싸드릴게요
아! 그것보다 도끼를
안 떨어지도록 꽉 붙잡고 있을게요.
그리고 선생님, **사랑해요!**
I Love You.

.

선생님.
지난 한 해 동안 선생님과 참 유익하고, 아름다운 시간을
보낸 것 같아, 참 흐뭇하고 기뻐요.
선생님의 속도 많이 썩여 가며 지내왔던 일 년을
다시 돌이키고 싶지만, 그렇게 하지 못함이 정말 아쉬워요.
선생님을 좋아하면서도 속 썩여 드린 점이
무척 죄송스럽지만요…….
하지만 맘속으론 선생님을 응원하고, 존경하고 있어요.
아름다운 크리스마스와 복되고 힘찬 새해 맞이하시고요.
언제나 행복하세요. 그리고 건강하시구요.
한 해 동안 감사했어요.

제가 제일 좋아하는 선생님께

날씨가 너무 덥죠?

이렇게 더운데 선생님 웃으시는 얼굴 보지 않으니깐 더 힘드네요.

선생님께서 지금까지 하신 말 듣고 저두 깨달은 게 많아요.

죄송하단 말밖에 할 말이 없어요.

솔직히 저두 약간 딴 생각을 하고 있었어요.

정말 죄송해요. 면목이 없어요.

선생님이 웃지 않으시구, 웃음 가신 얼굴 보니깐, 정말 제가

진짜 잘못 했구나 하는 맘이 들어요.

제가 친구들이 떠들면 충고를 해주구 그래야 되는데 그러지두 못

했거든요.

선생님께 실망 드려서, 정말 죄송하구요.

이제부터라도 실망 드리지 않는, 적어두 저 한 사람이라두

노력하는 선생님의 제자가 되겠어요.

제 짝이 옆에서 졸아요.

선생님을 위해서 깨우고 싶은데

정 때문에 깨우지 못하겠어요. 또 죄송해요.

선생님. 저 열심히 할게요.

안녕히 계세요.

Tomato 드림

○○ 선생님께

지금 밖에는 비가 부슬부슬 내리고 있습니다.

지난 1년 전부터 선생님께 꼭 하고 싶었던 말이 있어요.

선생님을 사랑한다고요. 이건 진심이에요.

말로 표현 못했을 뿐이에요.

선생님!

제가 정말 선생님께 해서는 안 될 많은 짓을 했지요?

수업 시간에 딴짓도 하고 떠들고……

선생님. 그동안 정말 죄송했어요.

아직도 밖에는 비가 내리고,

'에델바이스'란 노래가 나옵니다.

선생님께서 노래하시는 거

참 오랜 만에 듣는 것 같아요.

선생님의 노랫소리는
참 맑아요.
선생님이 노래를 부르시면
꼭
시냇물을 보는 것 같아요.

존경하고 사랑하는 우리 모두의 선생님!

우선 이 반성문을 쓰게 된 경위에 대해,
무척 부끄럽고 송구스럽습니다.
저를 아실 지는 모르겠습니다만, 제가 워낙 눈에 띄질 않아서요…
전 개인적으로, 참 따뜻한 말과 웃음을 지니신 좋은 분이라고
늘 생각했습니다.
전에 선생님께서, 잘 모르실지 몰라도
아마 거의 3월의 둘째나 셋째 주였을 거예요.
찬바람에 열린 교실문을 닫는데, 선생님이 보고 계셔서인지는
몰라도, 문이 잘 안 닫기더라구요.
그 때 선생님께서 제게, 아니 모두에게 하시는 것처럼,
"차고, 강한 바람이 연약한 소녀를 골탕먹인다"고 하셨을 거예요.
얼굴이 빨개질 정도로 창피했지만… 그냥 웃었습니다.
그 후로 유독 선생님이 기억에 남으셨지만…
오늘 본 선생님의 모습은 정말 달랐습니다.
무서운 표정 속엔 안타까운 눈동자를 보이시며, 무언가 가슴을
콕콕 쑤시는 듯이… 사실은 전에도 비슷하게 야단을 치셔서,
이번에도 좀 내려앉은 기분으로 고개를 숙였는데…
자신의 책을 던지시는 모습에 너무 놀랐습니다. 정말 화났구나…
뭔지 모르게 아찔하기도 하고, 불안하기도 하고…

아, 정말 이상한 기분이었습니다. 예상 외로 큰 소리에 깜짝깜짝 놀라기도 하고. 그러나 더 놀란 것은 더 후였습니다.

저희들의 첫 주 첫 수업이 화요일 5교시라,

저희를 배려해 주시고 힘을 주시려고, 노래라도 부르기 위해 문 앞에서도 목을 축이셨다고요…

얼마나 힘든 건지 압니다. 몇 시간 수업하시고, 피곤하고 힘든 수업하기도 벅찬 목으로 노래를 부르는 것이…

하지만 그렇게까지 하시는 선생님을 위해 저희들은 아무 것도 준비한 것이 없었습니다. 아니, 저또한 수업 몇 분 전까지 신나게 놀기만 하고, 먹기만 하고, 정말 양심이라곤 찾아볼 수 없을 정도로…

제 자리가 구석이고 보이지 않았기에, 머리카락으로 얼굴을 가리고, 조용히 눈물을 닦았죠. 정말 제 자신이 밉고, 한심했어요. 왜 그랬을까 싶기도 하구요.

사실 저희 반이 어수선한 분위기가 있다는 건 아는데, 쉽게 고쳐지지는 않나 봐요. 책을 읽는 중에도 어수선하게 떠들고 돌아다녀서, 가슴이 조마조마하기도 하고… 하지만 저 자신이 어쩔 수 있는 것도 아니라서, 더 답답해요.

그런 저 자신도 결코 잘나지도 못했어요.

주말과제도 토,일요일에 하지 않고, 월요일 저녁에 했고, 여하튼 태도가 좋은 학생이라곤 할 수 없어요. 그런 제가 이런 반성문을 남에게 보인다는 것도 창피해서 안 하던 표지까지 했죠.

그냥 붙이니 썰렁해서 꽃을

(선생님이 좋아하시니까)

그렸어요.

선생님.

앞으로는 그런 무서운 모습

보지 않도록,

저 자신이라도 달라질게요.

그래야 소녀 같고, 순수하고,

따듯한 선생님의 모습만

볼 테니까요

정말 죄송합니다. ★

부담임 선생님 이시지만
담임선생님 보다도 더 많은 관심을
보여 주신데 대해 항상 고맙게
생각하고 있습니다
요사이 우리들에게 실망이 크셨겠지만

우리들은 누구보다도 선생님을 신뢰하고
좋아합니다 그리고 선생님 오늘은
스승의 날이니 눈물이 나도록
기쁜 하루가 되세요

어머니를 사랑하는
자식들이

다섯. 감사해요

OOO선생님께

살짝 제 앞으로 다가오신 선생님!
고마우신 선생님!
사랑과 정으로 뭉치신 선생님!
OOO선생님!
선생님!
스승의 날인데
큰 선물은 드리지 못하고
기껏해야 이 장미 한 송이 밖에
드리지 못하는
OO이의 마음 알아주시고요.
언제나 선생님을 사랑하는,
OO 마음 알아주세요.
선생님.
감사합니다!

　　　　OO올림.

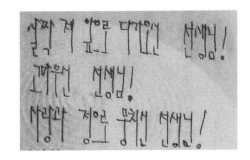

작문아주머니께

한 학기 동안,

앞에서 당겨주시고

뒤에서 밀어주시니

매우 감사합니다.

어려울 땐 위로해 주시고, 힘들 땐 격려해 주신 분을

저는 제가 곤경에 처했을 때만, 당신을 이용했던 것 같습니다.

요즘에는 수업 시간에도 태만해지는 모습에 매우 슬퍼집니다.

이제는 다시 시작하려 합니다. 밑에 있는 하마처럼 묵묵히.

2학기 때에는

더욱 더 훌륭한 모습을 보여주서요.

저도 지지는 않을 거예요. 기대하셔도 돼요.

여름이라서 더우시죠?

그러면 밑의 그림을 보세요. 시원하시죠?

지금은 물에 빠진 곰이 되고 싶어요.

아주머니도 한 번 따라서 해보세요.

재미있어요. 하하하 왜 웃냐고요?

빠지고 싶은 것 연상인데

아주머니에게 따라하시라고 하니까 그냥 웃겨서요.

한 학기를 마치며

기쁜 마음으로 이 글을 띄웁니다.

OOO 선생님께

1학년 때 배움을, 가르쳐 주신 감사함을, 오늘에서야 글월로
표현할 수 있게 되었습니다.

선생님. 고맙습니다.

선생님의 덕분으로 제가 이 자리에 설 수 있게 되었다고
생각합니다. 어찌 고마움을 이 글로 표현을 다 할 수가 있겠어요?
그저 마음 속에만 가득 담고 있을 뿐이지요.

방학 때도 친구 OO와 건강이 어떠신지 찾아 뵙고 싶었는데
용기가 나질 않아서…… 그냥 포기할 수밖에 없었습니다.

선생님.

입학이 어제 같았는데 벌써 3학년이 되어 가네요. 무척이나 빠른
시간인 것 같아요. 이렇게 빠른 시간을 누가 막을 수가 있을까요?
자신이 다른 사람과 똑같이 보내지 않고, 보다 알찬 생활을
한다면 잡을 수 없는 시간이라도 후회하지 않게 보낼 수가
있을 것 같아요.

선생님,

방학 때쯤 선생님의 건강에 균형이 깨어지셔서 힘드신 생활을
하셨지요. 저희 많은 학생들이 곁에서 힘이 되어 줄 수 있으니까,
더욱 건강하셔야 해요.

선생님의 안녕을 기도할게요.

2학년 O반, OOO올림.

선생님께

추운 건지, 춥지 않은 건지 도대체 분간이 안 가는 겨울입니다.
우선은 감사의 말씀을 드리고 싶습니다.
지난 번 저희 아버지께서 아프실 때 힘들어 하는 모습을 보시고,
또 과제를 늦게 내서 부끄러워하는 모습을 보시고
격려해 주시고, 다독거려 주신 것,
정말 감사합니다.

저는 고등학교가 삭막하다고 생각했는데,
그 생각을 바꾸어 주셨어요.
바로 선생님께서 말입니다.

전에 체육대회 때 뛰시는 모습을 보았습니다.
몸이 너무 약하시더군요.
겨울이라고 몸을 움츠리지 마시고
많이 드시고, 살 좀 더 찌시고, 운동도 많이 하세요.

이제 그만 펜을 놓고자 합니다.
몸 조심하시고(너무 약하시니까)
우리에게 웃는 모습,
많이 보여주세요.

문학선생님께.

선생님, 안녕하세요? 선생님의 사랑스러운 제자, OO입니다.

선생님께 무엇을 선사해 드릴까 생각 중에, 이렇게 pen을

들었습니다.

선생님께 하고 싶은 말이 많은데, 지금 오늘이 아니면,

앞으로 오랜 시간을 기다려야 할 것 같아 이렇게 pen으로나마

몇 자 적어봅니다.

고등학교에 들어와 문학이란 과목을 새로 배우게 되었습니다.

생소하기는 했지만, 무엇인가 흥미를 느끼게 되더군요.

선생님을 처음 뵈었을 땐 솔직히,

"아이! 무슨 저런 말라깽이 선생님이 있지?"

너무 심했나요! 하지만 그렇게 보인 게,

저에게 느껴진 선생님의 첫인상이었어요.

시간이 지남에 따라, 선생님과 많이 가까워지면서,

선생님을 좋아하게 되었고, 문학시간을 기다렸어요.

문학시간이 되면 저희 내부에 잠재해 있어, 저희가 잘 느끼지

못했던 많은 것들을 느끼게 되었습니다.

저희들도 이제는 선생님 덕택에 문학소녀들이 되었습니다.

한데 오늘 이후로는 선생님을 뵙기 힘들 것이라는 말씀에,

섭한 마음, 불안한 마음, 흥분된 마음 등, 머리속이 무척이나

복잡해요.

무슨 이유 때문인지는 모르지만,

오랜 시간 선생님과의 시간을 갖을 수 없다니,

굉장히 서운합니다.

앞으로의 만남을 기약하며

선생님, 지금 이 시간까지 저희에게 베풀어 주신 모든 은혜,

어떻게 갚아드려야 할 지 모르겠네요.

선생님 품의 배움터에서 많은 것을 배우고

많은 새로운 것들을 느끼게 해 주셔서,

고맙습니다.

저희 반을 대표해서 제가 인사를 드립니다.

선생님, 언제가 될지는 모르지만

하루 빨리 저희 곁으로 돌아 오시길…

그날을 저희는 손꼽아 기다리겠어요.

헤어져 있는 시간 동안 부디 몸 건강하세요.

그리고 1학년 O반을 잊지 말아 주세요.

저희들 또한 선생님의 성함, 'OOO',

이 세 자를 영원히

기억 속에서 잊지 않겠습니다.

To. OO 선생님

안녕하세요? 벌써 한 해도 막을 내리는 이 순간에

선생님의 은혜를 생각하면서, 저의 작은 글을 띄웁니다.

그동안 우리가 선생님을 너무 힘들게 했죠!

그것도 하나의 추억으로 생각해 주세요.

그리고 새해에 3학년 O반, 시각디자인반

꼭 국어수업을 부탁해요.

새해에는 더욱 더 건강한 모습으로 웃으면서, 함께 수업을 하고
싶어요.

새해에는 항상 건강하시고요.

선생님의 꿈과 소망이 이루어지길, 저는 하나님한테 기도할게요.

선생님,

1년 동안 가르쳐 주셔서 감사합니다.

선생님을 사랑해요, 영원히……

방학 잘 보내시고요.

개학 날, 웃는 모습으로 만나요.

그럼 안녕히 계세요.

– 작은 천사 OO(제자)

선생님께

선생님, 선물 정말 감사합니다.

친구들하구 맛있게 나눠 먹었어요.

친구들도 축하해 주었어요.

그만큼 행복한 일도 없을 것 같다는 생각이 들었어요.

그리구요. 엄마께 감사하다고 했더니, "우리딸이 많이 컸네"

하시며, 예쁘게 자라주니까 더 고맙다고 하셨어요.

엄마가 그렇게 행복해하신 건 처음이에요.

선생님께 감사드려요.

덕분에 저희 엄마 주름이 한 줄 줄었거든요.

선생님.

○○이한테 얘기 들었어요. 선생님 고민이요.

선생님 그런 일로 마음 아파하시지 말구요. 힘내세요.

어제 그 소릴 듣고 무지 마음이 아팠어요.

선생님 그땐요

선생님을 무지 사랑하는 사람이 저를 비롯해서 많이 있다는 걸

생각하세요. 꼭이요. 그럼 힘이 나실 거예요.

그런 의미에서 제가 좋은 소식 말씀드릴게요.

저번에 선생님께서 저에게 용기 주신 일이요, 저 해냈어요.

오빠도 부끄러워하고 저도 그랬어요.

아마 저희들 모습을 선생님께서 보셨다면 '소나기'의

소년과 소녀를 연상하셨을 거예요. 그 정도로 순수해요.

선생님이 지금 이 순간 너무 편하구요.

꼭 언니 같아요. 전 언니가 없거든요.

이왕 말이 나온 김에 제 모든 것을 털어놓을게요

(우리 사이의 벽을 무너뜨려요)

저는 1남 2녀의 장녀예요. 동생 2이 있는데요. 모두들 다 이뻐요.

동생들은 눈이 큰데 전 작아요.

그리구 제 키는 158인데요. 160이 되는 게 내 꿈이에요.

몸무게? 이건….

취미는요. 편지쓰기, 수다떨기, 공상하기, 시집 읽기구요.

특기는 잘은 못하지만 피아노를 다루구요.

성격은 활발+ 내숭+ 얌전(한 마디로 종잡을 수 없는 성격).

친구 관계는요 좋다고 확신해요.

좋아하는 건 모든 과일, 전에(자율학습 때) 썼던 것, 그리구 시집.

싫어하는 건 약속 안 지키는 것, 거짓말하는 것, 산낙지(으~~),

내 몸무게가 올라가게 하는 모든 것.

이 정도면 다 쓴 것 같네요.

선생님, 오빠 얘기 좀 더 해도 될까요?

월요일에 오빠에게 건네줬는데요.

그 이후에 후유증이 너무 크게 자리잡았어요.

한동안 밖에도 못 나가구요. 속만 태웠어요.

하지만 이젠 생각을 바꿔서 잘 다니구요.

전과 같게 행동하기로 했어요.

오빠가 기분 나빴을까? 하는 생각도 버리구요. 좋게 생각하기로
했어요. 그게 저에게나 오빠에게 나은 거라고 믿기 때문이에요.

제가 거기다 좋으면(제 고민상대자가 되는 일) 편지하라고
썼거든요. 우리집 주소도 적어서요. 그게 너무 부담이 됐나봐요.

지금 생각하면 제가 너무 서두른 것 같기도 하고요.

결론은 아직도 편지가 안 왔어요.

매일 하교길에 집 앞 빈 우체통을 보는 일도 이젠 지쳤어요.

하지만 끝까지 기다리고 싶네요. 오빠도 좋아하는 거 같으니까요.

선생님께만 살짝 오빠의 이름을 말해 드릴게요. (OOO)이에요.

오빤 내가 가장 좋아하는 이상적인 걸 가졌어요.

교우관계가 좋다는 거예요. 친구들 사이에서 그만큼 사이가 좋다
면, 그것이 외모보다 나은 거라 생각해요, 저는요.

선생님, 덥네요. 오빠를 생각하니……

제 책상 앞에 선생님께서 주신 시원한 복숭아가 있어요.

그걸 볼에 대고 열을 식히고 있어요.

지금은 아침 6시인데 선생님께선 무얼 하실까? 생각하니
궁금해지네요.

저는 아침을 먹고 교복도 입고, 이렇게 편지를 썼는데,
벌써 선생님께선 학교에 와 계시나?

선생님.

저희 7월 27일에 야영 가잖아요.

그곳에서 선생님께 편지하고 싶은데 주소 좀 가르쳐 주세요.

그럼 재미있는 일 많이 적어 보내드릴게요.

선생님.

아침부터 편지 받으니 기쁘시죠?

전 선생님께서 기뻐하시는 게 너무 좋아요. 그런 의미에서

전 언제나 선생님께서 좋아하시도록, 착하고 이쁘게 살게요.

그리고요. 잊을 뻔했는데요.

저희 엄마께서 고맙다고 전해달라시네요. 저보구 인복이 많데요.

항상 좋은 사람이 곁에 많다구요. 저도 그렇게 생각해요.

선생님.

저 학교 갈 시간이네요.

그럼 조금 있다 학교에서 뵐게요.

제발 차가 안 밀렸으면~~

                          즐거운 아침에

                      귀여운 1학년 제자(OO)가.

                  P.S. 선생님, 즐거운 아침이에요.

                  오늘 하루도 기쁜 일만 있길 빌어요.

To. OOO 선생님께

안녕하세요? 저 OO이에요.

제 얼굴 기억하실지 모르겠어요. 3-O반이랍니다.

선생님께 편지 쓰는 건, 처음인 것 같아요.

쓰고 싶을 때도 있었지만, 글 재주가 없어서 못쓰곤 했답니다.

선생님!

한 가지 감사드리고 싶은 게 있어요.

그건 선생님 덕분에 제가 누군가와 눈을 마주친다는 점이에요.

예전엔 어색했는데, 요즘엔 안 그래요.

정말 정말 감사드립니다.

그 보답으로 전 항상 선생님께서 주신 선물(과제) 잘 해올게요.

그리고 선생님, 스승의 날 맞으신 거

축하드립니다.

그럼 오늘 하루 행복하게 보내세요.

자주 편지 쓰겠습니다.

안녕히 계세요.

　　　　- 선생님의 사랑스러운 제자

　　　　　OO 올림

선생님께

선생님 안녕하십니까?

만물이 탄생하는 봄의 계절을 맞이해서 어떻게 지내시는지요?

또한 요즘은 감기에 걸리기 쉬운 계절인데 편찮으신 데는

없으신지 궁금합니다.

먼저 '스승의 날'을 맞이해서, 정말로 감사하다는 말을

드리고 싶습니다.

그동안의 선생님의 은혜는 말로 다 할 수 없을 만큼 많습니다.

선생님이 우리를 위해서 애써 주시는 그 은혜는, 정말이지

평생토록 잊지 않을 것입니다.

먼저 수업 시간에, 어느 선생님보다도 우리 반을 위해서

애써 주신 선생님,

또 많은 이야기로 우리의 마음을 키워 주신 선생님,

아이들이 배고플까봐 라면을 끓여 주시던,

선생님의 은혜는 정말이지 태산보다도 높습니다. 이러한

선생님의 모습은 마치 저의 어머니와 같다는 생각이 듭니다.

그래서 사람들은, 선생님은 제 2의 부모님이라고 말들 하나 봐요.

그러는 의미에서, 한 시조를 인용해서 읊어볼까 합니다.

> "하늘이 높다 하되, 스승의 은혜보다 못하고
> 바다가 넓다 하되, 스승의 마음보다 못하도다"

어때요? 마음에 드시는지요?

아 참, 선생님 제가 선생님 수업 시간에 장난치고, 떠들어서
속상하셨지요? 정말 죄송합니다.

그래서 이제부터는 선생님 수업뿐만 아니라 다른 시간에도
충실하고, 열심히 노력하는 사람이 될 것을 약속드립니다.

그러니 선생님께서 도와주세요.

그럼 이만 줄입니다.

안녕히 계세요.

선생님을 사랑하는 제자 ○ ○올림.

○○○선생님께

서신으로 1년 동안 가르쳐 주신 인사를 대신합니다.

먼저 선생님의 건강은 어떠신지요?

이 추운 날씨에 감기는 안 걸리셨겠지요.

저는 겨울방학 때 걸린 감기가 여태 낫지 않았어요.

제가 1학년 때는 선생님의 고마움을 모르고 지나갔는데,

지금 와서 생각하면, 선생님의 친절과 선생님의 말씀이

고맙게 느껴집니다.

그리고 2학년 때는 선생님을 별로 못 본 것 같군요.

여름방학 때 병원에 입원한 걸로 저는 알고 있어요.

병은 고치셨나요? 몸이 약하면 안 되는데……

작년에 제가 친구 일로 운 기억이 나는데, 그때 선생님의

도움으로 그 문제를 해결할 수 있었어요.

그때 선생님께서 저를 외면하셨으면…

저는 그때 큰 괴로움을 다룰 지도 몰랐거든요.

그래서 저는 선생님을 고맙게 느끼고 있어요.

선생님께서는 저를 잘 모르겠군요.

저는 2학년 8반 ○○○라고 하는 학생입니다. 그리고 선생님을

존경하고 있구요. 저의 성격은, 내성적이면서 활발 명랑해요.

건강은 아주 좋아요. 저의 흠이 있다면 공부를 못한다는 거고요.

저의 장점은, 남과 잘 어울리는 것.

선생님. 저의 걱정은 취직 문제예요.

공부를 못하니까 좋은 데는 못 가고, 그렇다고 공장으로 가기는

싫어요. 왜냐면 공장에 가면 성격이 나빠지고, 그러다 보면

나쁜 길로 빠져들어간대요..

선생님, 지금은 상업서예 시간인데요.

고마우신 선생님께,

편지로나마 인사드립니다.

To. 선생님

선생님, 1학기 동안 저희 말썽꾸러기들을 있는 힘껏
가르쳐 주셔서 감사합니다.
사실 처음엔 싫었는데, 시간이 흐르고
선생님에 대해서 조금 아니까, 정말 좋은 것 같아요.
선생님!
그리고 우정상은 참 고마웠어요.
받을 거라고는 상상도 안 해보고 문장 실력이 없어서
쓰기 전에도 고민을 많이 했는데, 얼떨결에 받아서인지
기분은 좋더라구요.
선생님
카드는 너무 흔해서, 올해는 새로운 엽서 카드로 띄워요.
전 코스모스보다는 진달래 꽃이 더 좋아요(안개꽃도).
선생님은 어떠세요?
몸 건강하시고
크리스마스 즐겁게 보내세요.

OOO올림.

국어선생님께.

안녕하세요?

저는 선생님 제자 OOO라고 합니다.

요즘엔 장마철도 아닌데 웬 비가 오는지 모르겠어요.

요즘 같은 우중충한 날씨에 선생님 마음은 어떠실까?

잠시 생각해 봅니다.

3일 후면 '스승의 날'이라서도 그렇고,

선생님께 감사하다는 말을 전하기 위해서

이렇게 펜을 들었습니다.

선생님, 저를 항상 격려해 주셔서 정말 감사드리고,

앞으로 선생님 뜻에 거역하지 않는, 그런 학생으로

발전하겠습니다.

그리고 선생님!

제가 선생님, 무지 무지 사랑하고, 좋아한다는 거 잊지 마세요.

힘들어도 선생님 얼굴 생각하며 열심히 살게요. 아셨죠?

선생님,

스승의 은혜 감사드립니다.

선생님을 무진장 좋아하구, 사랑하구,

존경하는 제자 OO 올림.

P.S. 선생님 곁엔 항상 OO가 있다는 걸, 잊지 마세요.

선생님께

아름다운 음악이 흐르는 이 시간,

지난 1년 동안의 일들을 되새겨봅니다.

언제나 평화로우신 선생님의 모습과,

항상 발랄한 저희들의 모습.

한때는 심한 말썽과 장난으로, 선생님을 슬프게 해드린 적도
있었지요.

그날 밤에는 글을 썼습니다.

그리고 라디오 방송국에 보내 볼까 생각도 했었지요.

하지만 용기가 부족했었습니다.

많은 일들이 생각납니다.

저녁도 못 먹고 교실에서 책 보고 있을 때,

선생님께서 불러 주셔서, 따뜻한 차 한 잔을 주셨던 일.

제가 하늘을 친구 삼아 글을 썼을 때,

선생님께서도 하늘을 좋아하신다며 칭찬해 주셨던 일.

하지만 다음에 그 글을 읽어보니,

맞춤법, 띄어쓰기 모두 엉망이더군요.

선생님의 배려로 백일장이란 것도 구경할 수 있었습니다.

선생님께서는 벌써 잊으신 일들도 있겠지요?

하지만 전 모두 기억합니다.

수업 시간에 친구와 떠들어 시 다섯 편[11]을 써 들고

상담실까지 찾아갔었던 일,

수업시간에 모두가 책상 위에 올라가 걸상 들고 벌서던 일.

선생님께서 수업 중 불러 주시던, '얼굴'이란 노래.

간간히 들려주시던 많은 시들.

지금 생각하면 모두가 그립습니다.

그리곤 선생님의 병환으로 대신 오셨던, 선생님과의 생활들.

내 옆에 앉아있는 친구들, 모두들 착하고 씩씩합니다.

2학년이 되어서도 만날 수 있을 런지…

영원히 내 기억에 남아있을 지난 1년 동안의 많은 일들.

잘 생긴 친구도 있고, 못생긴 친구도, 착한 친구도, 웃기는

친구도, 모두들 좋은 친구들… 행복한 시간.

선생님, 행복했습니다.

감사합니다.

영원한 선생님의 제자

OOO 올림.

---

[11]   수업 중 잘못(바람직하지 않은 행동)을 한 경우, 반성문
대신, 좋아하는 시 다섯 편을 써서 제출하는 것으로 정함.

○○○ 선생님께

안녕하세요? 선생님 저 ○○○이에요. 아실 지 모르겠네요.

꼭 기억하실 거라고 믿어요.

선생님, 내일이 스승의 날이에요.

제가 선생님께 배운 지는 몇 달 되지 않았지만

그래도 꽤 오래 배운 것 같은 친근감이 들어요.

저는 솔직히 국어를 좀 싫어했어요.

그런데 선생님과 배우면서,

얼마 전부터 국어가 기다려지게 됐어요.

선생님과 제가 마음과 마음으로,

눈과 눈으로 대화할 수 있다는 것이

이렇게 즐거운 일인지 몰랐어요.

이럴 줄 알았으면 진작에 국어에 대해서, 선생님에 대해서

마음을 열 걸 그랬어요.

지금부터라도 제 마음을 활짝 열어야겠어요.

선생님.

저한테 소중한 친구가 있어요.

선생님께서도 아실 거예요.

1학년 때도 선생님께 배웠으니까. 2반의 ○○이에요.

지금도 선생님께 배우니까.

얼굴 그 자체로도 이쁜 ○○이.

착한 마음씨까지 이쁘게 봐주세요.

저에겐 든든한 어깨가 되어주는 FRIEND예요.

너무 친구 얘기만 했나요? 그럼 다른 얘기로…

선생님 저 이제 국어공부 잘 할 거예요.

우선 한국사람이 국어를 못하면 안 될 말이니까.

그리고 선생님께 사랑받고 싶으니까…..

요번에 80점 맞은 시험, 다음에는 90점 맞도록, 또 다음에는

100점 맞도록 노력할게요.

제가 가끔 말썽도 피우고 그러겠지만, 이쁘게 봐주세요.

대신 최선을 다하겠다는 약속은 해드릴게요.

그럼 선생님.

계속 모자란 제자인 OO이를 자~알 가르쳐 주세요.

몇 달 배우지 않았지만 …… 정말루 감사합니다.

국어에 눈을 뜨게 해주셨으니까요.

그럼 안녕히 계세요.

사랑합니다.

선생님의 사랑스런 제자

OO 올림.

OOO선생님께

선생님, 안녕하세요? 전 OO예요.

선생님, 제가 잘못한 것도 많고,

저희 반 아이들이 잘못한 점도 많았지만

그때마다 선생님께서 따뜻한 마음으로 활짝 웃으시며,

용서해 주셨던 것 감사드리구요.

앞으로 남은 2학기 때도 열심히 공부하도록 할게요.

그리고 선생님 방학 동안 건강하게 잘 지내시고…

선생님,

사랑해요.

안녕히 계세요.

　　　　　　　선생님을 제일로 좋아하는 3- O반 일동.

p.s. 선생님, '사각사각' 드시고, 힘내세요. **"힘"**

♥ 선생님께 보내는 글 ♥

선생님, 저 OO이에요.

이제 조금 선생님께 절 알려드린 것 같은데, 선생님께 열심히
하고 착한 모습 보여드리려고 했는데, 선생님께서 좋은 일
하러 가신다는 얘기를 듣고 서운했습니다. 정말 섭섭해요.

저는 학교에 오면 국어시간이 제일 기대되고,
긴장되는 시간이었는데... 매일 저는 이런 생각을 해요.

선생님께서는 오늘 어떤 옷을 입고 오셨을까?

그리고 어떤 멋진 음악과, 맛있는 이야기를 해주실까?

선생님,

누가 이런 말을 했죠, '만남이 있으면 헤어짐도 있다.'

선생님, 거기 가셔서도 행복하시고, 저희 항상 기억해주세요.

수업 시간에 가르쳐 주신 공부 잘 하는 법, 새겨서
수업에 충실히 하겠습니다.

그리고 항상 맑은 눈을 뜨는 습관을 갖도록 노력하겠습니다.

지금 선생님께 가지 마시라고 얘기하고 싶지만......

선생님, 저는 이번이, 선생님과 저 그리고 우리 3학년 O반의
만남이 마지막이라고 생각하지 않습니다.

언젠가 더 멋진 모습으로 다시 만날 거라고 생각합니다.

먼 곳에 계셔도 몸 건강하시고, 행복한 하루 하루가 되시길
기도해 드리겠습니다.

선생님, 저희 모두 선생님을 못 잊을 거예요.

선생님, 정말 사랑합니다.

선생님, 약속해주세요. 언젠간 다시 만날 수 있다고요, 꼭!!!

3-0반은 국어선생님을 사랑합니다.

선생님, 그동안 감사합니다

선생님께

먼저 선물에 대해서 말씀드릴 게 있어요.

선물이라기보다는 그냥---드리고 싶었는데요.

선물로 드리는 건, 내용물이 적절하지가 않아서요.

그냥 받아 주시면 좋은데……

언제나 따뜻한 마음으로 저희들을 봐주시고 사랑해 주셔서

감사해요.

야간 자율학습 시간에나 가끔씩 제 등을 만져 주실 땐

편안함과 따뜻함을 느낄 수 있었어요.

선생님! 언제까지나 따뜻한 선생님이 되어 주세요.

감사합니다!

OOO선생님께, OOO 드림.

선생님

안녕하세요?

선생님 수업을 받을 때, 언제나 잠만 자고 떠들던,

철부지 제가 이제 졸업을 코앞에 둔, 고3이랍니다.

작년에는 별로 시간에 대한 중요성 같은 것을 느끼지 못했는데,

1년이란 세월이 흐른 뒤 지금은

너무 너무 시간을 낭비한 것 같아 속이 상합니다.

모든 학생에게 그러시지만, 절 귀엽고 예쁘게 봐주신,

또 돌봐 주신 선생님께 감사의 마음을 전하고 싶어

이렇게 펜을 들었습니다. 물론 스승의 날이라는 명목이 붙지만.

다음엔 종종 선생님께

재주 없는 글을 띄우겠습니다.

P.S. 선생님 저처럼

　　살 좀 찌세요.

　　많이 드시고, 많이 주무시면 돼요.

　　제 살 좀 떼어 드리면 좋을 텐데……

　　계속 계속 건강하세요.

　　이만 줄이겠습니다.

OOO 올림.

존경하는 OOO 선생님께.

선생님, 안녕하세요?

스승의 날을 맞이하여 이렇게 펜을 듭니다.

먼저 선생님께 감사드립니다.

이렇게 만난 것도 인연인데, 저희들 선생님의 가르침에 따르도록 열심히 하겠습니다.

선생님에게서는

어린 아이 같은 동심과, 연약함 같은 것이 느껴져요.

선생님은 너무 약해 보이세요. 좀 많이 드시고 건강하세요.

저도 열심히 먹어 곧 살이 찔 거예요.

저는 국어 점수가 좋은 편은 아니지만, 열심히 공부할게요.

이 학교에 와서 선생님과의 만남이 최초의 만남이었어요.

선생님은

저에게 큰 의미가 있습니다.

제가 커서 어른이 되어도,

선생님은 잊지 못할 거예요.

다시 한 번 선생님께 감사드리고, 저희들 잘 가르쳐 주세요.

P·S 선생님 살좀 찌세요
(만인이 원한답니다 선생님)

이 세상 살아있는 모든 것이
잠들어 버린 밤을 좋아하실 것 같은 분께.

선생님,

어제 제가 울며 집에 올 때, 걱정해 주셔서 정말 감사합니다.

실은 너무 속상한 일이 있어서 얼른 집으로 돌아와 이불 뒤집어 쓰고, 펑펑 울려고 마음먹고 계단을 내려오는데, 선생님을 뵙게 된 거예요.

애써 웃음을 지었는데, 선생님께서는 금방 제게 무슨 일이 있는지를 알아차려 버리신 거예요.

아무도 모르는데 선생님께서는 OO마음을 얼굴로 읽으셨어요.

저는 너무너무 감격해서, 참고 있던 것들이 한꺼번에 떠오르는 바람에 왈칵 울어버린 거예요, 바보처럼.

선생님, 전 요즘 정말 외롭고 쓸쓸해요.

아이들에겐 친구 '백'이 있어서 난 언제나 행복하다고 말하지만

실은 그렇지가 않더군요, 선생님.

제 짝이 그러는데요.

제 친구 '백'이는 제가 조정하는 로봇에 불과하대요. 그리구 제가 생각하는 상상 속의 친구일 뿐, 나의 진정한 친구일 수는 없대요.

제가 짝꿍에게 전 그 아이와 이야기도 나누고, 고민을 말하면,

이렇게 이렇게 하라구, 이야기도 한다고 하니까

저보구 바보 같다구 그러는 거 있죠. 전 바보가 아닌데요.

선생님, 사랑해요!

소리 높여 부르고 싶어요.

그런데 지금은 캄캄한 밤인걸요.

오늘 이제 몇 시간만 있으면, 소풍을 가겠지요.

선생님, 지금부터 선생님을 더 많이 아주 많이 사랑할게요.

물론 예전에도 선생님을 사랑했지만요.

누군가를 사랑할 수 있는, OO는 정말 행복해요.

지금 이 순간 저는 저 하늘을 날아서

별님께 놀러 갈 수도 있을 것 같아요.

선생님,

그럼 이만 쓸게요.

안녕히 주무세요.

별이 빛나는 가을밤, 외로운 아이가

사랑하는, 또 존경하는 선생님께.

「제가 생각하기엔 선생님이 별로 미안하신 것도, 고마우신 것도 앞으로는 더 사소한 일에도 '죄송합니다', '고맙습니다' 라고 하셔서 처음에는 무척 우스운 생각도 들었는데요 지금은 저에게 많은 것이 됐거든요

"선생님! 감사 합니다"」

선생님!

죄송스러운 말이 될는지 모르겠지만,

제가 선생님을 처음 뵈었을 때, 선생님께 별로 호감이 없었어요.

아니, 제게 그런 마음이 없었을 지도 모르겠어요.

하지만 지금은 아닙니다.

선생님의 따뜻하고 다정하신 모습과 저희들을 위하시는 마음,

무엇보다도 제가 선생님을 좋아하게 된 이유는

선생님이 남이라는 생각이 없었다는 이유였을 거예요.

선생님의 수업 방식이

처음에는 익숙하지 않아서, 짜증도 나고

그런 선생님이 밉기도 했어요.

하지만 하루하루 시간이 지나면서

선생님의 그런 수업방식이 좋아지기 시작했고,

또한 어떤 일에 부딪혔을 때, 저는 항상

'이런 일을 내가 어떻게 해' 하고 포기하거나, 두려움부터

생겼었지만, 지금은 그런 저의 마음도 서서히 달라지기

시작했어요.

그런 면에서 항상 선생님께 감사한 마음 갖고 있습니다.

선생님께서 저에게 가르쳐 주신 것, 너무나도 많지만

지식적인 면 말고, 또 한 가지 감사한 것은,

가끔씩 느끼고 있던 일이지만, 더욱 절실히 느낄 수 있도록

해 주신 것은, 사람은 첫인상 보고 판단하거나

겉모습만 보고 판단할 수 없다는 것을 일깨워 주셨어요.

선생님께 드리고 싶은 말 너무나도 많고,

감사한 마음도 일일이 말로 다 표현은 못 하지만……

선생님, 정말 감사합니다.

그리고 방학 동안에도 선생님 모습 자주 떠올리며

잊지 못할 거예요.

이학기 때에도,

선생님의 이러한 수업방식을 기대하겠습니다.

그리고 언제나 따뜻하고, 밝은 모습 잊지 못할 거예요.

시간시간마다 저희들에게 보내주시는 미소,

때로는 아픈 모습이 보이는 데도,

선생님은 항상 미소를 지으셨어요.

그 미소를 통해,

저는 항상 힘을 얻을 수가 있었습니다.

선생님!

정말 고맙습니다.

– 선생님의 영원한 제자

OO 드림.

Dear OOO 선생님께

안녕하세요, 선생님. 먼저 선생님의 날을 축하드려요.

제가 누군인지 궁금하시죠? 저는 2학년 8반 OOO학생이에요.

사실은 선생님께 제가 이렇게 편지 쓰리라고는 생각도 못했는데,
체육대회날 선생님께서 주신 시원한 미숫가루가 이렇게 펜을
들게 했습니다. 그래도 선생님은 제가 누구인지 잘 모르시겠지요?
애들이 많이 갔었으니까 말이에요. 선생님께 초코렛

좋아하시냐고 물어보고, 해바라기 준 학생이에요. 기억하세요?

선생님께서는 참 인정이 많으신 것 같아요.

욕심부리지 않고 언제나 남에게 나누어 줄 수 있는, 선생님의 그
마음이 참 좋아요. 부럽고요.

선생님은 몸이 참 허약하신 것 같아요. 저는 뚱뚱해서 참 걱정이
많거든요. 살 빠지는 비결이 좀 없을까요?

선생님께서 제가 1학년 때 학기말쯤, 저희 O반을 가르치셨어요.
그때는 잘 몰랐는데, 지금은 선생님께 참 감사하는 마음을 갖게
되었어요. 선생님. 이 학교에 오신 지 얼마나 되셨어요?

저는 벌써 일 년 하고도 이 개월이 조금 넘은 것 같아요. 입학할
때 왠지 모르게 이 학교가 어색하고 서먹서먹했는데 이제는 그런
기분은 안 들어요.

선생님. 비록 저희 반은 가르치시지 않으시지만, 감사합니다.

제자 OO올림.

OO 선생님.

안녕하세요? 저는 9반 학생, OOO이에요.

선생님 말씀도 잘 안 들었는데 이렇게 가신다니, 너무 슬퍼요.

선생님, 어디에 가시든지 열심히 가르치면서 행복하세요.

선생님, 전 말이죠.

선생님 없어도 열심히 국어공부 할 거예요.

선생님이 가르쳐 주신 사랑, 저도 아낌없이 베풀어 줄래요.

나중에 다시 오실 거죠. 그죠?

선생님. 전 처음에 국어라는 과목이 매우 싫었는데요.

하지만 지금은 선생님을 만나서 그런지, '국어라는 과목이
이렇게 재미있는 거구나' 하는 생각이 들었어요.

선생님,

국어 공부에 흥미를 갖게 해 주셔서 감사하구요.

보고 싶을 거예요.

선생님의 제자가 되어서 하루 하루가 행복했구요.

이런 날들을 잊지 않을 거예요.

그럼, 안녕히 가세요.

                                OO이가.

p.s. 존경했어요, 진심으로.

    사랑해요!

To. ○○○선생님

안녕하세요? 크리스마스 즐겁게 보내세요.

새해에는 선생님의 소망이 모두 이루어지길 바라요.

한 해 동안 저희를 따뜻하게 보살펴 주시고, 가르쳐 주신 것

감사합니다.

언제나 저희의 마음을 읽어 주시고,

저희를 바른 길로 이끌어 주셔서,

저희 반 친구들이 모두 문학소녀가 되었어요.

내년에는 더 성숙하고, 얌전한 문학소녀가 되겠습니다.

추운 날씨에 감기 조심하세요.

안녕히 계세요.

제자 ○○가.

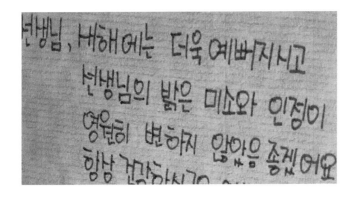

OOO 선생님께.

선생님, 안녕하세요? 제자 OOO입니다.

선생님과 만난 지 이제 2달이 조금 넘은 것 같네요.

처음에는 익숙치 않은 만남에 너무 떨렸어요.

저는 처음 이 학교로 와서, 많이 낯설고 알 지도 못했는데

선생님 덕분에 많이 알게 된 것 같아요.

선생님 작은 체구에서, 그렇게 많은 파워로 수업하시는

모습을 보면, 정말 대단하신 것 같아요.

사실 처음 중학교에 와서 과목도 늘어나고,

내용도 어려워져서 힘들었어요.

특히 국어는 저에게 재미있고 쉬운 과목이었는데,

수업시간에 풀었던 학습지를 많이 맞지 못해

정말 당황했어요.

그래도 선생님 덕분에 국어 시험도 잘 치르고,

잘 적응하고 있는 것 같습니다.

앞으로도 지금처럼 열정적으로 수업하시는,

선생님의 멋진 모습으로 가르쳐 주세요.

저도 열심히 공부하겠습니다.

선생님, 감사합니다.

늘 건강하세요!!

OOO 올림.

OOO 선생님에게 (꽃처럼 아름다운...)

선생님 감사합니다.

선생님 말씀도 잘 들은 적 없고, 숙제도 잘 해오지 않고.......

사람은 만나면, 이별도 있다고 하지만

이제 겨우 선생님에 대해 알고, 친근감을 느끼려 하니까

떠나 신다니, 가슴이 아파요.

하지만 제 기억엔 남아 있을 거예요.

정직과 올바름을 가르쳐 주시고, 아름다움을 가르쳐 주신

선생님이 전 좋았습니다.

언제쯤 선생님을 다시 만난다는 약속은 없지만,

선생님이 많이 그리울 거예요.

국어시간 선생님의 음악이 그립고,

매일 칠판에 쓴 날짜와 물음표,

그리고 아름다운 꽃들.......

선생님,

어디 가시든 건강하세요!

–선생님을 존경하는 제자, OO 올림.

Dear OOO 선생님께

빗방울로 온 세상을 수놓던 날이 또 저물어 가고 있습니다.
선생님께 드리려고 썼던 편지를 한 구석에 놓고, 다시 펜을
들었습니다. 선생님의 환한 모습을 떠올리며, 약간의 글과
그림을 그려 보았는데, 예쁜지 모르겠습니다.
선생님과 OO이가 만난 지 벌써 1년이 넘었다고 생각하니,
제가 너무 빨리 성장하고 있는 것 같은 기분이 들었습니다.
1학년 때 선생님과 함께 했던 시간이 많았는데,
지금은 제대로 찾아뵙지도 못하네요. 죄송합니다.
하지만, 아직도 전 선생님과 함께 종이접기를 하고 싶고,
그림 그리고 싶고, 이야기하고 싶습니다. 어쩔 땐 고민 상담도
하고 싶고요. 그런데, 제가 해야 할 일들이 저를 자유롭지
못하게 합니다. 제가 조금만 부지런하면 되는 것을……
아차!!! 아직 인사도 못 드렸지요.
선생님께서 저의 글을 추천해 주심을 정말 감사드립니다.
또 어버이날 선생님께서 주신 선물, 아버지께서 무척
좋아하셨답니다. 고맙습니다.
선생님의 말씀이 많은 소년 소녀들에게 도움이 된다는 걸 아시죠?
더 많은 우리들이 선생님의 사랑을 원하고 있을 것입니다.
작은 것에도 크게 감사할 줄 알고, 기뻐할 수 있는 것이
우리들 나이 아닐까요?

행복을 찾아 헤매이고, 고독 속에서 조금씩 성숙해가는 과정에서,

선생님처럼 희망을 주시는 분이 저희들에게 소중하게 느껴지듯이

선생님께서도 저희들을 더 사랑해주세요.

(지금의 선생님을 존경하지만, 사람의 욕심은 한이 없다잖아요??)

전 언제나 바라는 것이 많고, 저는 하나도 실행하지 않는

약간 못된 소녀거든요. 하지만, 저의 단점을 하나씩 고쳐가는,

노력하는 OO이가 되기 위해, 최선을 다하고 있습니다.

선생님!

제 글씨체가 바뀌어 놀라셨나요?

요즘엔 사회에 나갈 준비를 위해 펜글씨체로 바꾸려고,

노력 중입니다. 글씨를 예쁘게 쓴다는 것도, 꽤 노력이 필요한

작업이란 것도 느꼈습니다. 선생님께서 보셨을 땐,

어떤 글씨체가 마음에 드세요?

벌써 새벽 4시가 되어가고 있어요. 아직 해야 할 일이 많은데,

일기 쓰고, 편지 쓰고, 음악 듣고, 멍하니 앉아 있다 보니

시간이 너무 빠르게 느껴집니다.

선생님 사랑, 감사드립니다.

선생님께서 건강하시길—

많은 사랑을 전하시길—

스승의 날 새벽

선생님을 사랑하는 제자, OOO 올림.

OOO 선생님께.

이 무더운 날씨에 보충수업 지도하시느라고 무척 힘드시죠?

짜증나는 더위 속에서도 예나 지금이나 여전히 웃음을

잃지 않으시고, 저희들에게 힘과 용기를 주는 선생님이 고마워요.

늘 선생님 찾아갈 때마다 저희에게 에너지 충전을 시켜 주셨지만,

오늘은 제가 작지만 (제 마음은 선생님을 생각해서)

옥수수를 드리고 싶어요.

저희 할머니께서 옥수수를 심으셔서, 지금은 먹고 싶을 때

가게를 거치지 않고도 순 자연산으로 먹을 수 있거든요.

선생님께서도 맛보시라구요.

제가 먼저 먹어보지 않아서 맛이 어떨지는 모르겠지만,

예쁜 걸로(것으로) 골라 왔어요.

이 여름날 아이스크림처럼 시원하진 않아도,

사랑을 담은 옥수수를 드시고

선생님도 저도 더위를 이겼으면 해요.

선생님

힘내세요!!!

　　　　　　　　제자 OOO 드림.

OOO 선생님께

안녕하세요? 선생님.

선생님 제가 달라진 게 많아요.

이번 3학년에 올라와서 처음 사람의 눈을 보게 되었어요.

내 의견만 내세우기보다 먼저 남을 이해하게 됐구요.

이 두 가지 사소한 것 같아도, 이번 년도에 선생님께서

제게 주신 최고의 선물이예요.

잊혀지지 않을 거예요.

또 선생님, 제 꿈이 선생님이잖아요.

선생님 수업하시는 거 보면서 '나두 저렇게 해야지' 하고

생각하게 돼요.

저요 열심히 공부해서 꼭 선생님이 될 거예요.

제가 나중에 선생님이 되어서, 짠! 하고 나타나도

놀라지 마세요. 아셨죠? :-)

그리고 선생님 내년 '스승의 날', 꼭 찾아뵐게요.

마지막으로 선생님, '추석' 잘 보내세요.

푹 쉬시고요.

수요일날 오실 때, 건강한 모습으로 오세요.

선생님, 감사합니다!

OOO 드림.

Dear OOO 선생님---

아름다운 마음의 선물을 가득 받은 OO이는,

아름다운 달님과 함께 많은 이야기를 나눴습니다.

낮에 일어나 잊기 싫은 일들이, 달님 얼굴을 스치고 지나갑니다.

생일을 선생님께 축하받는 건 정말 처음이라,

기쁨이라는 단어만이 저의 가슴 속을 메워주었어요.

누군가가 나를 생각함은 나의 행복입니다.

내가 누군가에게 잊혀 지지 않는 것은

저의 가장 큰 소망입니다.

앞 마당이 달님의 밝은 웃음에 한층 더 밝습니다.

간단하지만 소중한 나만의 소망을 빌었어요.

많은 사람들의 소망 中, 나의 소망은

어느 별에 담겨져 있게 될 진 모르지만…

17살이 되는 해의 출발이

친구들의 우정과 선생님께의 고마움으로 꽉꽉 메워져

더 이상 바랄 것이 없지만, 사람의 욕구가 무한하듯,

모두의 건강을 빌고 싶어요.

"선생님께서도 건강하세요—"

오늘은 내가 사랑하는 사람을 떠올려 봤어요.

부모님과 오빠, 선생님과 친구들을요..

나에겐 없어서는 안 될 모든 사람이 나를 가까이하고,

나를 좋아해준다는 것이 이토록 좋은 것인지 몰랐어요.

시를 읽고, 음악을 듣고, 공부하고, 운동하는 그런 단순한

일에도, 더욱 신경이 써집니다.

시 한 줄 읽고, 행복을 느끼고, 음악(한 곡)만 들어도 즐거워요.

그래서 요즘의 생활은 더욱 활동적일 수 있고, 더욱 많은 웃음을

띄울 수 있나 봐요. 선생님도 OO이가 명랑한 것이 좋으세요?

高2가 되면, 얼굴만 알고 지내던 친구들과도 많은 이야기로써

좋은 친구가 되고 싶어요.

선생님!

다른 사람을 알고 지내는 건, 정말 표현할 수 없는 즐거움입니다.

전 그 즐거움을 충족시키기 위해 더욱 많은 이에게

저의 이름만이라도 기억되고 싶어요.

그래서 저 역시 그들을 잊지 않도록 편지도 오래도록 간직하고

사진도 많이 찍어 간직하고, 일기장에 그들의 이름을 남길

것입니다. 선생님 이름도 큼직한 글씨로 남을 거예요.

OO이는 선생님을 좋아하니까요.

오늘은 정말 감사드려요. 영원히 잊기 싫고요.

건강하시고, 더 많은 이들에게 사랑받으세요.

선생님을 닮고 싶은 제자 OO 올림.

받으셔유, OOO 선생님

오늘같이 좋은 날 왜 비가 내리는지 모르겠어요.
고등학교에 들어와 생활한 지 2월이나 지났는데
아직 지금 이곳이 낯설구 또 적응하지 못했는데
선생님처럼 좋은 선생님을 만나 얼마나 다행인지 몰라요.
선생님 얼굴을 보면 매일 즐거우신 것 같아요.
웃는 얼굴이 참 이쁘세요.
저희들에게 언제나 즐거움과 꿈을 주시는 선생님!
스승의 날을 맞이하여 정말 감사드립니다. 그리고요
사랑해요.

> p.s. 선생님 무언가를 해드리고 싶은데
> 요새 돈이 없어 못 샀어요.
> 하지만 전 마음의 선물을 드립니다.

선생님! 안녕하세요

저는 1학년 O반에 OOO이라고 합니다.

사실 선생님께 편지를 드리고 싶은 적이 한 두 번이 아니었는데,
용기가 없어서 그만 못 쓰게 된 적이 많아요. 하지만
이번 기회에 선생님께 용기를 내어 이렇게 편지를 씁니다.

선생님!

저는 공부도 못하고, 얼굴도 못생기고, 잘하는 거라곤 하나도
없어요. 하지만 열심히 하려고 노력은 해요. 그런데 잘 되지
않아요. 제가 정말 잘하고 싶은 건, 공부를 잘하고 싶어요.
잘은 못해도 제가 한만큼만 성적이 나왔으면 좋겠어요.
중학교 때부터 한 번이라도 제가 한 만큼 나온 적이 없는 것
같아요. 그래서 항상 속상할 때가 많아요.

머리가 너무 나쁜가 봐요. 다른 아이들이 하는 것에 저는
2, 3배를 해도 모르는 게 많고, 성적이 잘 안 나와요.
하지만 저는 아직 포기하지 않았어요.

끝까지, 열심히, 꾸준히 노력하면 제가 바라고자 하는 것이
언젠간 이루어지리라고 믿기 때문이에요. 제가 이렇게 생각할 수
있게 해준 것은, 선생님이에요.

선생님은 무척 허약해 보이시지만, 우리에게 항상 그런 면을
보여주시지 않고, 건강하고 용기 있고,
자신감을 우리에게 주시는 것 같아요. 그래서 선생님께

무척 감사드리고 있어요.

또 그러기에 선생님을 존경하고, 좋아해요

선생님은 우리를 잘 이해해 주시는 것 같아요.

선생님! 그래서 말인데요.

제가 어떤 고민이나 걱정이 있으면 개인적으로 선생님과 상담을
해도 되나요? 선생님과 상담을 하고 나면 어떤 실마리가 풀릴 것
같아요. 시원할 것 같기도 하고……

제가 선생님을 되게 편하게 생각하는 것 같아요. 이런저런
얘기도 하고….

선생님도 학생들과 대화도 많이 하고 그러는 것 좋지요?

저도 선생님과 함께 이야기하는 것 좋아해요. 물론 저는 말도
잘 못하고, 아는 것은 없지만, 선생님과 대화를 하는 것 좋아해요.

선생님!

제가 선생님 수업 시간에 많이 떠들어서 속상했지요?

이제 선생님 수업 시간에 즐겁고, 기쁘게,

떠들지 않고, 열심히 하겠어요. 졸지도 않을게요.

또 제가 잘 못하는 발표도, 되도록 많이 하도록 노력할게요

선생님의 수업 시간은 정말 즐겁고 재미있고 좋은데,

가끔 제가 장난치고 그래서 죄송할 따름이에요.

저는 선생님의 수업 방식을 좋아해요. 개방적이고, 성급하지
않고, 변함없는 시 한 편이 매시간 있으니깐 좋아요.

어쨌든 선생님! 선생님 수업 시간에 열심히 할게요.

선생님도 부족한 저를 열심히 가르쳐 주세요.

항상 그렇게 하셨지만……

선생님!

정말 감사합니다.

- ○○○올림.

국어선생님께

선생님!

국어를 재미있게 가르쳐 주셔서 감사합니다. ♥

선생님께서 가끔 시를 소개해 주시잖아요!

저는 오스팅스 블루의 '사막'이라는 시가 기억에 남습니다.

아주 외로움을 많이 느낀 적은 없지만, 시의 분위기가 너무

쓸쓸하고, 문장 하나 하나가 구슬퍼서, 지금까지도 기억에 남는

것 같습니다.

선생님. 이런 멋진 시를 소개해 주셔서 감사해요. ♥♡

감기 조심하시고요, 건강하세요. 사랑합니다.

○○○ 올림.

선생님께

오늘이 무슨 날인지 아세요? 만우절!

또 제가 태어난 날이기도 합니다. 조금 특별한 날이어서

잘 믿지를 않는다든지 하는 것은, 매년 있는 일이죠.

어제 저녁 혼자서 생각을 했습니다.

아마도 내일은 예전처럼 그냥 지나가겠지. 부모님께서 항상 바쁘

게 생활하시기 때문에, 잊고 지나가실 때가 많았거든요.

서운하고 속상하기도 하지만, 환경이 그런 것을 어쩌겠어요.

축하한다는 말 한 마디가 제게는 큰 선물인 것을…..

친구에게도 들어보지 못하는 그 말, 오늘도 예전처럼 그러합니다.

선생님께서 그러셨죠?

살짝 귀띔을 해준다면 기쁨을 함께 나눌 수 있을 거라구요.

욕심이 크기는 하지만, 선생님께 생일 축하한다는 말이 듣고

싶어요. 마음으로도요.

한 가지 부탁이 있습니다. 수업 시간에 읽어 주셨던, 조지훈의

'사모'라는 시를 알고 싶은데, 가르쳐 주시겠어요?

선생님!

남들은 모두 즐거워하고 있는데, 저는 거짓된 웃음을 보이며

함께 즐거운 척하고 있습니다.

오늘이 빨리 지나갔으면 좋겠습니다.

제 기분에 치우치다 보니, 글을 더 이어 나가지 못하겠네요.

다음 기회를 기약하기로 하고, 제 마음을 아무런 조건 없이
들어주셔서 감사하다는 말씀드리고 싶네요.

선생님! 감사합니다.

    - 나무의 날. ○○ 드림.

선생님,

하늘도 푸르고, 나뭇잎들이 햇빛에 반짝거려 신선한 오늘
선생님께 감사의 글을 띄웁니다.

선생님,

우리 편집부원들에게 많이 신경써주셔서,

정말 감사합니다.

앞으로 선생님과 함께 멋진 교지를 만들고 싶어요.

편집부의 인연이 아니더라도 찾아 뵈면,

많은 조언도 해주시구요

우리들 많이 많이 사랑해주세요------

저희들도 선생님을 사랑해요.

선생님께 행복이 있으시길 기도할게요.

                    2학년, ○○○ 올림.

OOO 선생님께

선생님, 안녕하세요. 저 OO입니다.

항상 새로운 것들, 가르쳐 주서서 감사합니다.

선생님 덕분에 약 2달 사이에, 많은 것을 배운 것 같습니다.

요즘 전보다 집중을 안 했던 것 같습니다.

죄송합니다. 이제부터는 더 집중 잘 하겠습니다.

그리고 저에게 국어부장 제안해 주셨던 거, 감사합니다.

지금까지 국어부장 역할을 잘 해내지 않았던 것 같습니다.

죄송합니다. 이제부터는 더 잘 해내려고 노력하겠습니다.

새로운 것들을 가르쳐 주서서,

더 발전할 수 있었던 것 같아

항상 감사합니다.

더 성실하고 집중 잘하고, 적극적으로 수업에 임하는,

OOO가 되도록 최대한 노력하겠습니다.

다시 한 번 감사드리고,

힘내세요.

선생님, 존경합니다.

5. 14. 일요일.

OOO 올림.

OOO 선생님께

선생님! 그동안 안녕히 잘 계셨죠?

저는 1학년 때처럼 씩씩하고 명랑하게 지내고 있습니다.

약간은 말썽도 피면서요~ 헤헤~

1학년 때 말 안 듣는 저 때문에 속상하셨죠?

선생님이 뭐라고 한 마디만 하면, 속 좁은 저는 선생님 맘도

모르고, 삐지기만 하고……

지금 생각하니 후회스럽군요.~ Sorry.

1학년 때는 국어시간에 칠판에다 예술작품(?)을 할 수 있어

진짜루 happy 했는데

지금은 그럴 수 없는 게, 참 안타까워요.

글구 선생님께서 시 읊어 주신 것, 아직도 기억에 생생하게

남아요……

이제는 한 학년도 올라갔으니깐!

좀더 착하고, 성실한 OO이가 될 거구.

선생님!

가르쳐 주셔서 진짜루 **감사합니다.**

글구 **선생님 사랑해요.**

—　선생님을 very 사랑하는 제자

OO 올림.

안녕하세요, 선생님

OOO입니다. 제 꿈은 소설작가입니다.

선생님과 국어수업을 하면서 소설에 대해 배우고, 그 외에도
더 많이 배웠지만, 국어시간은 저에게 꿈을 뒷받침해 줄
발판이었습니다. 아직 많이 부족하지만 전보단 아는 것이
더 많아진 것 같아요.

지금은 공책에 장편소설을 쓰고 있고, 핸드폰 앱에서
작가로 소설을 쓰고 있습니다. 많이 부족한 소설이지만,
아는 것이 많아진 만큼 제 소설도 풍부해지더라구요.

중학교 처음 와서 '국어를 잘 해보자!' 결심했지만,
부족한 점을 채우려면 시간을 들여야 했고,
어려운 부분을 이해하려 머리를 굴렸다고 해야 할까요… ㅎㅎ

아무튼 국어 시간은, 저를 움직이게 해준 것 같아요.
꿈을 찾고, 좋아하는 걸 찾고 노력하려 하고.

벌써 1년이 지나갔지만, 언제 만날 지 모를 인연이지만,
세상은 좁으니까 다시 만난 날이 오길 바라요!

1년 동안 힘써 주시고, 고생하신 거 진짜 감사드려요.
저희를 위해 빛내 주신 선생님을 잊지 못할 것 같습니다.

정확히 365일은 아니지만, 마음으론 365일이었던, 이 시간을
기억할게요.

사랑합니다, 선생님.

To. OOO 선생님께 ♥

안녕하세요.

1학년 O반 OOO입니다.

벌써 종업을 앞두고 있는데 정말 아쉬운 마음만 듭니다.

또 제가 전학을 가서 더 아쉬운 것 같아요….

우선 늘 한결 같은 마음으로 저희를 가르쳐 주셔서

감사했습니다.

국어시간이 되면 '오늘은 무얼 배울까' 매번 기대가 됐고,

그 기대에 부응할 정도로 많이 배웠습니다.

인생 살아가는 데 배워야 할 태도나 필요한 점 등이요!

그리고 제가 국어부장으로서도 활동했는데, 국어쌤 뵐 때마다

웃음꽃 같은 미소 지어 주셔서,

저까지 웃음이 전염된 것 같아요.

항상 그 모습 잃지 않으셨음 좋겠습니다!

고생 많으셨고, 사랑합니다.

\- 고릴라이자 웃음꽃,

OO 올림.

OOO선생님께

남들이 택하는 쉬운 길이 아닌

더 힘들고 어려운 길을 택하신 선생님께

항상 힘이 넘치시길 빌겠습니다.

선생님의 자상하신 눈빛은 먼 이국땅의 사람들에게도

힘이 될 거라고 믿습니다.

부디 건강하시고, 좋은 결과 있으시길 빕니다.

저도 이곳에서 선생님의 남은 몫을 충실히 하겠습니다.

저 믿어 주셔서 감사드려요.   - OOO 올림.

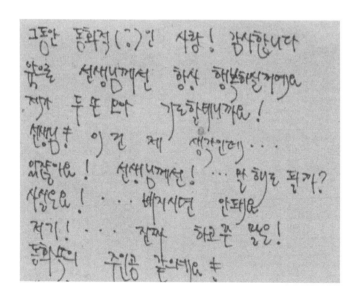

지난 해

선생님께서 나누어 주신 모든 것에 대해, 감사드립니다.

가냘프지만 강하신 선생님.

전 평생 잊지 못할 거예요.

꼭 찾아 뵙고 싶습니다.

선생님은 떠나셨지만 아직 이곳 친구들은

선생님을 잊지 못하고

아주 아름다운 추억으로

선생님을 간직하고 있습니다.

여섯. 공부는요 … [12]

OOO국어선생님께

안녕하세요! '제 이름은 …으로' 편지가 시작되지만, 저는 오늘 비밀로 써보려합니다.

OOO국어선생님과 벌써 1년을 보내고 있네요.

그동안에 많이 걱정도 듣고, 많이 웃었던 날들이 생각나네요.

저희 반이 초반에는 예습도 하지 않고, 성찰도 하지 않았는데,

2학기 후반쯤 되니, 벌써 혼자 예습하는 아이들도 있고,

모둠으로 물음표도 열심히 하는 게 신기하기도 하고,

많이 성장한 것 같습니다.

남은 시간도 함께 재밌게 지내다 갔으면 좋겠습니다.

    p.s. 마지막에 생각났는데, 모둠 수업의 참여도도 좋고,

       재미 있어 너무 좋았습니다.

---

[12] 학생들의 평가를 바탕으로 향후 수업에의 연구자료로 참고하고자. 2022학년도와 2023학년도 담당학생 대상 **'1년 동안의 국어 수업에 대한 평가'** 실시: "그동안의 수업 중 기억에 남는 것, 아쉬웠던 점, 힘들었던 것, 짜증났던 것, 하고 싶었던 말 등을 자유로운 형식으로 & 익명으로 쓸 것!", 또한 "글이나 그림 등 원하는 형식(표현 방식)으로 자유롭게 할 것!" 결과물 중에는 편지글로 쓴 학생도 있으며, 이름을 적어 제출한 학생도 있음.

선생님

국어시간, 의미 있다고 느꼈던 시간과 어려웠던 부분, 가장
의미 있다고 생각한 시간은 국어수업을 시작할 때 했던 물음표
발표입니다.
물음표 발표라고 편히 얘기했지만, 특별한 추억으로 남았던
시간이었습니다.
예전에는 5~7명씩이나 나와서 했었는데, 이제는 다 자신감이
높아져 한 명씩 자신 있게 혼자 발표하는 것에 거부감이
없어져서 너무 좋은 시간이었습니다.
국어시간에서 어려웠던 부분은 학교를 빠지면 모르겠는 부분이
생겨서 수업을 듣기 어려웠지만, 자기주도학습을 원만히
진행할 수 있었다는 생각이 듭니다.
국어시간에서는 아쉬웠던 부분은 없는 것 같고, 의미 있는
시간만 한가득인 것 같습니다.
이런 국어시간을 만들어 주시고, 저희를 인도해 주신
국어선생님께 감사한 마음을 담아 편지를 쓰고 싶습니다.

국어선생님께
선생님, 안녕하세요! 저 OO예요.
눈 깜빡했더니 벌써 1년이 지나버렸네요.
시간이 너무 빨라진 것 같아요.

선생님,

매일 힘드신데도 늘 바른 자세로 수업해 주셔서 정말

감사드려요!

상태가 안 좋아 보이실 때가 가끔 있었는데 저희에게

티 내시지도 않고, 열심히 수업에 응해 주시는 모습에 정말

감동받았어요!

늘 저희의 이야기를 중요시 여기시며,

더 자세히 국어에 대해 가르쳐 주셔서, 정말 감사했어요!

가끔 저희들이 지쳐 보이면

시도 들려주시고, 사탕도 주시고,

저희를 이렇게 생각해주는 선생님이 또 있을까 싶네요.

선생님,

제가 2학년이 돼도, 저 잊으시면 안 돼요.

저도 선생님 안 잊을게요.

마지막으로

수업에 늘 열중히 임해 주셔서

늘 감사드렸고,

사랑해요! ♡

OOO 선생님께

안녕하세요, 국어선생님~

제가 느낀 이번 OOOO년도 수업에 대해 적어보겠습니다.

1학기 때 처음 '능동적으로 물음표 표현하기'라는 것을 했을 때는, 솔직히 귀찮기도 하고, 이걸 왜 하나 싶기도 했었는데요. 1년 동안 쭉 해오며 생각이 바뀌었어요.

물음표 주제를 생각하며 친구들과 쌓은 추억도 있고, 확실히 수업 시작 전, 친구들의 물음표 발표를 듣고 시작하면 힘도 나고, 덕분에 웃기도 해요.

이젠 얼마 남지 않아 아쉽지만, 매일 1교시에 국어라는 과목을 수업한다고 생각하면, 확실히 지루할 것 같은데, OO쌤과 해서 즐거웠던 것 같습니다.

매일 매일 바뀌는 선생님의 패션을 보는 재미도 있고, 가끔씩 나오는 선생님의 소소한 TMI도 재미있었어요.

이젠 1교시에 선생님의 얼굴을 안 보면 허전할 정도예요.

찾아갈 때마다 화사한 웃음으로 반겨 주시고, 사탕도 주셔서 감사했어요.

제 동생도 내년에 OOO중에 오는데, 선생님께 배웠으면 좋겠어요.

이번 한 해 수고하셨고, 새해에도 무탈하게 보내시길 바라요.

감사합니다~

국어시간을 통해

많은 것을 배웠습니다. 국어수업만이 아닌 선생님께서 해 주신 이야기 덕분에, 도움이 되었던 거 같습니다!

선생님의 카리스마로 수업 분위기도 좋았던 거 같아요.

가장 기억에 남으실 선생님이 되실 거 같아요.

선생님 덕분에 국어에 대해서도, 국어 수업에도 관심이 생겼습니다.

일주일 3번 국어수업 시간 동안 날짜를 적고, 물음표를 그리며, '오늘은 무슨 주제를 하지?', 물음표를 보며 오늘 배울 내용을 살피는 시간이 도움이 많이 되었던 거 같습니다.

항상 국어수업만 빽빽히 하시는 것이 아닌, '벗자랑, 벗사랑' 등 국어 능력도 키우며, 친구들과의 교우관계를 형성시킬 수 잇는 좋은 시간이 되었습니다.

수업 시간마다 친구들이 그린 물음표를 보며, '오늘은 어떤 주제일까?' 생각하는 시간도 재미있었어요. 이 활동은 중학교 1학년에 있어서 가장 기억에 남을 수 있을 거 같아요.

월요일 수업 시간에는 '주말을 어떻게 보냈는지', '맛있는 음식을 먹었는지' 등 수업 시작 전에, 학생들 이야기를 들어주시는 모습이 인상 깊었습니다.

선생님께서 일주일에 한 번씩 노래를 선정하여 시를 들려주실 때, 정말 감사한 생각이 들었어요. 평소엔 시에 관심이 많이

없었는데, 선생님께서 들려주신 시를 검색하고 들어보니,
'시에는 참 다양한 것들이 많구나'도 느꼈어요. 나중에
선생님께서 들려주신 시가 유용하게 쓰일 거 같아요.
때론 엄격하신 모습에 무섭다고 느낀 적도 있었습니다.
하지만 늘 웃으시며 저희를 반겨 주시는 모습에 무섭다고
느꼈던 순간이 싹 사라질 만큼 학생들을 위해 주시며, 수업
해주시는 모습에 선생님이 좋습니다.
반 배치고사에도 선생님께서 하신 말씀들이 시험에 나오는 걸
보고, 선생님께서 항상 중요한 얘기를 해주시는 것을
느꼈습니다.
어렵게 생각했던 것도 선생님께서 쉽게 잘 알려주신 덕분에
쉽게 문제를 이해할 수 있게 된 거 같습니다.
O반을 위해, 수업 열심히 해 주셔서 감사했습니다.
평생 잊지 못할 선생님이 되실 거 같아요.
사랑합니다! ♡

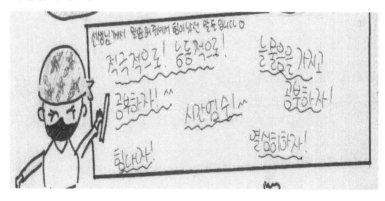

처음 중학교에 왔을 때

국어를 잘 이해를 못했어요. 중학교에 오니까, 다른 세계에
온 것 같이 모든 것들이 달랐어요. 특히 국어가 가장 많이
달랐어요.

초등학교에서 배운 것들은 잘 생각이 안 나는데, 중학교
국어시간은 처음으로 들어보는 단원과 언어들이 많아서
신기했어요.

처음에는 집중도가 낮았고, 관심도 별로 없었는데
점점 더 귀를 기울이니까 열정과 집중이 늘었어요.
그래서 2학기 때는 "다른 사람이 돼보자!"라는 다짐을 했어요.
제가 그런 다짐을 했다는 것을 몰랐는데요. 되돌아보니까
저 스스로 다짐한 것이 있었던 것 같습니다.

제가 가장 좋아하고 마음에 들었던 시간들은, 모둠으로 앉아서
재밌는 활동을 하는 거였습니다. 생각나는 것들 중에서는
'나뭇잎에 글쓰기'와 '발명품을 만들어서 상황극 하기'입니다.
나뭇잎에다가 시를 쓸 것이라고 했을 때, 저는 그것을 듣고
깡충깡충 토끼같이 뛰어다니고 싶었습니다. 토요일에
나뭇잎들을 주울라고 했었는데 중요한 일이 생겨서, '일요일에
나뭇잎을 가질러가야지'라고 생각을 했었는데, 그날 비가 엄청
많이 내려서 실망했었는데 아빠가 비가 오는데도 밖에
나가셔서 나뭇잎들을 주어 오셔서, 다리미로 말려 주셨습니다.

그때에 아빠가 영웅 같았어요. 그런데 다른 애들이 나뭇잎을
너무 적게 가져와서 또 활동이 밀려서 속상했어요.
근데 드디어 활동을 했을 때 너무 재밌었어요.
국어와 성찰 등등, 가르쳐 주셔서 감사합니다.

국어선생님을 처음 만나게 된 3월
저는 두근거리는 마음과 설레이는 활동을 할 생각에 들떠
있었고, 물음표라는 활동을 만나게 되었습니다.
물음표와 함께 친구들과의 추억을 쌓으며,
물음표는 점점 잊을 수 없는 친구가 되어갔고,
지금 1학년 종업을 앞두게 된 저는, 그 물음표와
친구들과 함께 만들어 갔던 추억을 회상하며
감상에 젖어 있습니다. 전 생각합니다.
제 학창시절의 기억에서 절대 빠질 수 없는 기억들을
국어쌤과 함께 하게 되어 뜻깊고,
아름답다고...
감사합니다.

안녕하세요, 국어선생님

처음 국어수업을 들은 날이 아직도 잊혀 지지 않아요.

칠판에 (?)를 표현하며, 성찰이 가장 중요하다는 선생님의

말씀에, 성찰이 무엇인지 궁금했습니다.

또 A4종이를 주시며 자기 소개를 적어 달라고 하셔서,

'학생에게 진심인 특이한 선생님이구나' 라고 생각했습니다.

선생님 덕분에 매일 성찰할 수 있어서,

친구들과 의사소통도 열심히 하게 되어서 너무 좋았습니다.

제게 성찰을 가르쳐 주셔서 감사합니다.

내년에도 선생님 밑에서 수업을 들으며 성찰하고 싶어요.

사랑합니다!

선생님께

아쉬운 점이나 짜증나는 점 같은 것은 없었습니다.

항상 수업 열심히 해주시고, 다양한 활동을 하며

재밌는 국어시간이었던 것 같습니다.

항상 열심히 해 주셔서 감사합니다.

수업을 재밌게 해 주셔서, 이해가 되지 않는 부분은

없었습니다. 2학년이 되어서도 1학년에 배웠던 내용이 생각나고, 선생님과 함께 생각날 것 같습니다.

또 나중에 어른이 되어서 기억에 가장 남을 것 같은 것은 '물음표'입니다. 선생님 덕분에 '?'에 대해서 생각하게 되었고, 난생 처음 '?'로 수업을 연관지어 그려보게 되었습니다. '?' 덕분에 선생님이 자주 생각날 것 같습니다.

책에 없는 내용과, 다른 관점으로 볼 수 있는 수업을 하게 되어 재밌던 국어수업이었습니다.

초등학교 때까지만 해도 재미없었던 국어수업이 중학교에 와 선생님을 만나 재미를 찾게 되었습니다. 다소 어려웠던 국어가 재미와 함께 조금 쉬워졌습니다.

가끔씩 시를 읽어 주실 때 항상 좋은 시들만 읽어 주셔서 감사합니다. 선생님 덕분에 시에 관심을 갖게 되었습니다. 가끔씩이긴 하지만 도서관에서 빌려 읽기도 합니다. 시집을 읽다 보면 참 기분이 좋아지거나, 어떤 의도로 썼는지 궁금하기도 하고, 여러 가지 생각을 하게 됩니다.

또 다른 이야기로 가면, 시를 읽어 주실 때 음악을 틀어 주시잖아요. 시와 음악이 참 잘 어울려 신기했습니다. 가끔은 그 노래를 또 듣고 싶어지기도 합니다.

항상 저희를 위해 애써 주셔서 감사합니다.

사랑합니다. ♡

입학하고 첫 국어수업 할 때,

선생님이 누굴까? 무섭진 않으실까? 긴장하며 수업을
들었지만, 선생님은 착하고 좋으신 분이셨습니다.
아플 땐 걱정도 해주시고, 여행 갔다 오면 무엇을 했는지
물어도 주셔서, 참 감사하다는 생각이 듭니다.
하지만 저는 그런 국어선생님 같은 사람이 아닌지라 긴장해서
말도 더듬고 실수도 했지만, 선생님 같은 분과 수업을
하다 보니, 어느 샌가 자신감과 앞에서 발표할 때 긴장하는 게
줄어들었습니다.
그러기에 지금도 감사하고, 나중에도 '그런 분이 있었기에
이렇게 할 수가 있지. 감사합니다' 라고, 말할 것 같네요.
1년 동안 재미난 활동을 하며, 친구들과 웃고 떠들 수
있었습니다. 내년 저희 예비 후배들도 이런 감사한 시간,
받을 수 있길 바랍니다.
항상 사랑하고, 고맙습니다. ♡
저는 나중에도 선생님을 잊지 못할 거예요.
제가 고등학생이랑 어른이 돼서도 찾아 갈게요.
선생님도 그 자리에서 계속 후배들을
따뜻하게 대해주시고 계시겠죠?
마지막으로,
사랑합니다!

국어시간 가장 기억에 남는 일은

친구들과 '토끼와 자라' 연극을 한 것이, 가장 기억에 남습니다.

국어선생님께, 기억에 남는 우리 반의 완벽한 연극을

보여드리고 싶어 대본을 열심히 외우고, 친구들과 소품도

준비하여 열심히 연극을 펼친 것이 기억에 남고,

새 학년을 올라가더라도 잊지 못할 추억으로, 제 마음 속에

남을 것 같습니다.

국어선생님이 있었기에, 물음표 발표를 하면서 발표에 더

자신감을 가질 수 있었고, 친구들과 소중한 추억을 만들어

갈 수 있었습니다. 친구들이 피곤해서 힘들어 할 땐, 박수를

쳐주서서 잠을 깰 수 있었고, 아름다운 소리의 음악을 들으며,

좋은 시를 들을 수 있었습니다.

국어선생님의 밝고 아름다우신 미소를 보면, 피곤한 아침에도

집중을 하며 공부를 할 수 있었습니다.

몸이 안 좋으시고, 피곤한 하루에도 항상 웃으시며,

열심히 수업해 주셔서 너무너무 감사합니다.

2학년, 3학년으로 올라가서도 항상 국어선생님을 잊지 않고,

학교에서 마주치면 지금보다 더욱 더 성장한 모습으로

밝게 인사드리겠습니다.

항상 건강하시고, 너무너무 수고하셨습니다.

많이 존경하고, 사랑합니다.

선생님,

1년 동안 감사했습니다.

많은 음악과 시를 읽어 주시고, 들려주셔서 감사합니다.

제가 발표를 잘 못하지만 물음표 발표할 때, 친구들이 박수를 칠 때 감동이었습니다.

다시 한 번 말하지만, 1년 동안 정말 감사했습니다.

이 물음표는
국어선생님인데
맑은 해처럼 저희들을
친절하게 알려주시고,
맑은 구름처럼 포근한 목소리
(마음 편해지는 목소리)로
알려주시고
별처럼 언제나 빛나 보이고!
새싹 같은 저희를 친절하게
알려주는
선생님이라는 뜻으로,
이 물음표를 만들었답니다.

선생님,
고맙습니다.

국어수업을 하면서

처음에는 낯설고 긴장했었는데, 국어선생님의 다정함
덕분에 다 털어내고, 편안하게 수업할 수 있었고,
수업 내용도 어려워 보였었는데, 잘 이해되게 설명해 주셔서
매번 감사하고, 존경의 마음을 품을 수 있었습니다.
제일 기억에 남는 것은, 품사를 배우고 나서
국어선생님께서, 지금까지 배웠던 것 중에서 골라서
'나도 선생님'처럼 설명하라 할 때, 그 활동 덕분에 품사를
정복할 수 있었습니다.
그리고 물음표 그리기는 매번 국어시간 때마다, '오늘은 어떤
것으로 물음표가 변할까' 라는 생각도 하게 되었고,
국어시간 때 힘들거나 피곤하고 수업에 집중이 안 될 때,
국어선생님께서 사탕을 나눠 주셔서 그런지, 국어선생님의
마음 덕분인지 수업에 집중이 잘 된 것 같았습니다.
이러한 국어선생님 덕분에 국어시간 때는 물론이고
일상생활에서, 지금 이 글을 쓰고 있는 와중에도 섬세하게
하나 하나 신경을 쓰게 되었습니다.
국어선생님과 수업을 하면서 의아하고 지루할 때도
종종 있었지만, 재밌고, 기대되고, 행복했던 순간들이
더 많았던 것 같습니다.
가끔씩 시를 들려주실 때도 하나 하나 음악, 불까지 신경

쓰시는 국어선생님을 볼 때마다 대단하신 분 같았습니다.

국어선생님께 배웠던 성찰!

국어선생님 덕분에 제가 성찰할 수 있었습니다.

선생님이 저희를 보고 꽃이라고 해 주셨는데,

저희는 선생님이

더 크고, 아름다운

향기로운 꽃 같았습니다.

OOO선생님께

1년 동안 선생님과 공부를 하였는데,

선생님께서 항상 특이한 스타일의 옷을 입고 계셔서,

첫인상부터 저에겐 멋진 옷 스타일을 가지신 선생님이셨으며,

첫 시간은 기억상 온라인 수업이었는데 첫 중학교 수업이어서

긴장하며 들어갔지만, 선생님께서 환하게 웃으며 반겨 주셔서

무척 행복했고, 그래서 더 열심히 수업을 들었던 것 같습니다.

수업 중 새로운 지식들도 알려주셔서 좋았습니다.

전 알려주신 것 중에 '거울공부법'이 가장 기억에 남습니다.

그리고 가끔 선생님 교무실에 찾아가면, '이쁘다~' 해주셔서 기분이 좋았습니다.

진짜 수업을 잘 해 주신다고 생각합니다. 다른 국어쌤은 하시지 않을 것 같은, 물음표 작가, '벗자랑, 벗사랑' 활동 등등 한 번도 생각해보지도 못한 활동을 해보아서 재밌기도 했지만 배운 것도 많았고, 교과서 공부도 아주 꼼꼼히 알려주시고, 수업 시간에 소통을 많이 하여 좋았습니다. "히히" 하지만 저도 수업 중 몇 초씩 존 적이 꽤 있는데, 그런 점은 성찰해야 겠네요!

또 선생님 수업의 마스코트! 물음표. 처음에 '물음표의 의미를 말해보라' 하셔서, '무슨 소리지?' 했는데, 지금은 직접 표현한 물음표의 의미를 말할 수 있으니, 좋은 배움거리가 됐습니다.

질문을 하면 친절하게 다 답해 주셔서 항상 감사드렸습니다. 내년에도 국어쌤과 수업하고 싶지만, 할 수 없는 일인 것 같아 매우 아쉬워요. 내년에 OOO국어쌤과 수업을 안 하니, 좀 쓸쓸하면서 선생님 생각날 것 같고…

항상 저희 반 모두를 사랑해 주시는 게 보여서 감동이었습니다. 평생 선생님 못 잊어요.

너무 너무 감사드리고, 사랑합니다.

선생님께 배운 것 중 말해보라고 하면 '성찰', '시간 엄수' 등등 기억나는 것이 많고, 교과서를 통해 선생님께 배운 내용 중

자기 전에도 기억나는 것은, '언어의 세계'가 가장 기억에
남습니다. 선생님께서 언어의 본질 5가지를 너무 이해하기
쉽게 알려주셔서, 바로 이해했습니다.
또 '단어의 갈래'도 배울 게 많아 보여 두려웠지만, 선생님께서
너무 쉽게 설명해 주셔서 재밌게 공부한 단원이라고 말할 수
있으며, 선생님께서 준비한 활동인 '벗자랑, 벗사랑'도
아주 좋은 활동이었습니다.
저는 우리반 애들 다 사랑하고 좋아하지만, 한 명 한 명
그 친구의 장점을 많이 생각해 볼 수 있었고, 다른 친구들을
통해 친구들의 새로운 장점들도 알 수 있어서 매우 좋았으며,
당연히 친구들이 저에 대해 한 좋은 말, 칭찬으로 나도 몰랐던
나의 장점들을 알 수 있어서 매우 매우 좋은 활동이었고,
친구들에게도 감동받았습니다!
이런 활동을 하신 선생님은 정말 최고라고 생각합니다.
편지의 말들이 과거형 문장으로 써져서, 이제 선생님과 올해
수업이 끝이라는 것이 느껴집니다. 너무 너무 슬퍼요.
미래형으로, 선생님을 복도나 어딘가에서 뵌다면, 꼭꼭
인사할 것입니다.
저와 저희 반을 잘 가르쳐주신, OOO선생님, 감사합니다.
사랑합니다.

　　　　　　　　　-선생님을 사랑하는 제자, 그 누군가 올림.

To 국어선생님께

선생님 안녕하세요?

먼저 저희 반의 국어실력을 1년 동안 책임져 주셔서
감사했습니다.

정말 1년 동안 배운 게 많았습니다.

하지만 처음 만났던 날은 솔직히 좀 무서웠습니다.

제 기억상 책을 준비하지 못한 세 명의 친구들을 일으켜 세운
모습을 처음 봤기 때문입니다.

그래서 한 3일 정도 그 모습이 기억 속에 남아서 선생님께
다가가기 어려웠습니다.

하지만 며칠 지나서 보니, 수업 시간을 미리 준비하지 못한
그 친구들의 잘못이 더 크다고 생각했습니다.

그리고 지금 와서 보니, 저희 반 친구들이 다른 수업 시간보다
더 조용하고, 집중하는 이유도 그것 때문인 것 같습니다.

그리고 '좋은 수업 분위기'도 저희에게 맡기시는 것. 처음에는
제가 할 날이 다가오면 불안하고 초조했는데, 저희에게 그것을
맡기심으로써 저희가 더 성장한 것 같습니다.

'어떻게 성장했는가'를 물어보신다면,

첫 번 째로, 자기 객관화를 더 잘하게 된 것 같습니다.

국어시간에 한 행동들을 되돌아보며, 자신이 고쳐야 할 점들을
스스로 깨달았기 때문입니다.

두 번 째로, 자신뿐만 아니라, 다른 친구들에게도 관심을
가지게 하셨습니다.

'좋은 수업 분위기'는 반을 평가하는 것이기 때문에 다른
친구들의 행동들도 다 고려해서 발표해야 하는데, "오늘은 몇
명의 친구들이 집중을 잘 하지 못해서~"라고 했다면, 그 '몇
명'에 해당되는 것 같다고 느낀 자신들이 다음부터는 그 점을
고치려고 노력할 것입니다.

이런 점들이 저희 반을 한층 더 성장하게 만들어 주었습니다.

그리고 국어시간 하면 '이것'이 빠질 수 없습니다.

바로 '물음표'입니다.

'홀로서기'를 할 때는 독립심을 길렀고, 모둠끼리 할 때는
협동심이 늘었습니다.

이것들 외에도 선생님께 감사한 것들이 많지만, 딱 세 마디만
더 하겠습니다.

감사합니다.

사랑합니다.

새해 복 많이 받으세요.

저는 이번 1년 특히 국어수업이

제가 눈을 감는 그날까지 절대 잊혀지지 않을 것 같습니다.
초등학교 때까지는 단순히 교과서에 나오는 내용만 배우는
수업이었다면 이번 연도에는
교과서도 부록까지 정말 꼼꼼히 배웠을 뿐만 아니라,
물음표, '벗자랑, 벗사랑', 낙엽에 글귀를 쓰는 활동까지,
제 생각을 키워주는 활동을 많이 했기 때문입니다.
특히 물음표는 많이 기회가 오지는 않았지만,
오늘은 무슨 주제로 표현할까 친구들과 이야기하고,
제 생각을 표현하는 것과 다른 친구들이 표현할 것을
수업 시간 전 쉬는 시간에 생각해보는 것이 재미 있어서
더 오래 기억에 남을 것 같고, 2학년이 되어서도 종종 혼자서
해볼 것 같습니다.
이것 이외에도 선생님이 해 주셨던 중요한 말씀들과
꾸준히 했던 예습, 복습 덕분에 이번 연도의 국어수업은
더 의미 있게 제 기억 한 편에 남을 것 같습니다.
이 글을 쓰다 보니 제게 특별한 기억을 선물해 주신
국어선생님께 감사의 인사를 드리고 싶습니다.
이 학교에 남아 주셔서 제 졸업식날 꼭 다시 한번 찾아가고
싶은 마음입니다. OOO중 1학년 학생들에게 좋은 국어선생님이
되어 주셔서 감사합니다.

안녕하세요!

1-0 마지막 국어부장, OOO입니다.

먼저 감사하단 말 하고 싶었습니다.

'물음표'라는 것을, '물음표 발표'라는 것을 해서 배경지식도 얻었고, 발표하는 법도 얻었고,

가장 중요한, 즐거움이란 걸 얻었습니다.

초반에는 물음표 주제가 떠오르지 않아 곰곰이 생각하곤 했지만, 이제는 물음표 만렙이 됐는지, 바로 바로 할 수 있었던 것 같습니다.

그리고 국어부장이라는 자리를, 저 믿고 자리 주신 것도 감사했습니다.

책임감 있게 국어시간을 이끌어가는 자리를 주셔서, 진심 너무 좋았어요.

그리고 초등학교 땐 국어가 재밌다고 생각은 안 했지만, 지금은 국어쌤 덕인지 너무 재밌고, 신나는 시간인 것 같습니다.

너무 즐거웠습니다.

감사합니다.

국어선생님,

다른 국어선생님이면 지나치실 수도 있는 내용들을 놓치지
않고, 하나 하나 자세하고 친절하게 알려주셔서 너무 감사하고
좋았어요.

수업 시간에 집중하기 어려워하는 친구들을 집중할 수 있게
도와주셔서 다른 친구들도 더 잘 집중할 수 있었어요.

좋은 노래와 좋은 시를 자주 소개해 주셨는데, 그때마다 너무
좋았어요.

몸이 안 좋은 친구들을 격려해 주시고, 맛있는 사탕이나
먹거리를 챙겨 주셔서, 맛있게 먹었어요.

친구들의 사소한 변화도 알아봐 주셔서, 놀랍고 감사했어요.

교과서 내용을 포함해서 다른 일화나 예시를 들어서 설명해
주셔서, 더 이해를 잘 할 수 있었던 것 같아요.

외워야 하는 내용들을 이해하기 쉽게 표나 그림으로 정리해서
알려주셔 가지고 정말 외우기 쉬웠고, 발표를 잘 못하거나
어려워하는 친구들을 이해해 주셔서, 정말 좋았습니다.

국어선생님,

제1학년 국어공부를 책임지고 가르쳐 주셔서,

정말 감사합니다!

첫 물음표를 그렸을 때가

가장 기억에 남아요.

여러 명이 한꺼번에 물음표를 표현했을 때, 지금은 굉장히
애들이 성장했구나 라는 생각이 듭니다.

우리반 아이들은 자신이 좋아하거나 생각이 나는 것을
물음표로 표현했는데, 물음표를 뛰어 넘어, 칠판 채우기 놀이가
되었던, 국어수업 시작 전 쉬는 시간이 아직도 기억이 나네요.

국어선생님이 쓸 곳이 없는 칠판을 보면서, 사진도 많이
찍으시고 같이 찍기도 했던, 중학교 1학년 초가 엊그제 같은데,
벌써 저희 2학년이 되어가네요.

하면서 힘든 시간도 있었지만, 지금 생각해보면 다 추억이고
자기 성찰을 할 수 있는 계기가 되어 저는 많이 기쁩니다.

2학년이 되어서도 국어선생님을 생각하면서 2학년 국어수업을
들을 것 같고, 그로 인해 국어수업을 열심히 할 것 같습니다.

이제 내일이면 겨울 방학이 시작되고, 3월 2일이면 개학을 할
텐데 전 제가 15살이고 중학교 2학년인 것이 믿기지가 않아요.

그래서 모든 수업을 할 때마다 1학년 선생님들이 생각날 텐데,
국어 수업을 할 때가 가장 많이 생각나고, 국어선생님을
기억할 것 같습니다.

선생님께서 시를 읽어 주실 때가 기억납니다.

선생님께서 시를 읽어 주실 때마다 잘 어울리는 음악을

들으면, 귀가 행복해지는 것이 느껴졌거든요. 다음 학년을
가르쳐 주실 때에도 시를 많이 소개시켜주셨으면 합니다.
국어 시간이 힘드니까 국어선생님도 싫고, 국어가 든 날만
있으면 긴장했는데, 지금 생각해보면 모두 저희를 위해
헌신하셨던 일이었다는 것을 이제서야 알았습니다.
저는 물음표의 의미는 호기심인 것 같습니다.
몰랐던 문제들을 알려주는 느낌표이신 선생님이 알려주는
것이라고 생각했습니다. 1년 동안 감사했습니다.
진짜 어떤 순간이던 기억에 남는 선생님이, 국어선생님일 것
같습니다.
성찰을 알려주신 국어선생님,
정말 감사합니다.

선생님께 ♡

선생님 안녕하세요?

선생님,

1년 동안 국어를 재미있게 설명해 주셔서 감사합니다. ♡

선생님께서 국어시간에 자주 시를 소개해 주시잖아요.

선생님 덕분에 많은 시를 알게 되었습니다. 감사합니다.

선생님!

최근에 '벗자랑, 벗사랑'이라는, 친구 칭찬하는 글쓰기를 했잖아요. 솔직히 친구들 칭찬을 적으면서 '내가 친구들 많이 몰랐구나'라는 생각이 들었습니다. 친구들에게 조금 미안한 마음이 들었습니다. ㅠㅠ

친구들이 저에 대해 쓴 칭찬들을 볼 때면 가슴이 뭉클해지고 고마웠습니다. 이번 수업을 계기로 친구들에 대해 더 많이 알게 된 것 같아 좋았습니다! 헤헷

또 낙엽에 시나 좋아하는 문장을 적어서 책갈피를 만드는 활동 수업도 재미있었습니다. 나뭇잎에다 글씨나 그림을 그린다는 새로운 경험을 하게 되어 재밌고 좋았습니다. 코팅해서 지금까지 나뭇잎 책갈피를 보관 중입니다. ㅎㅎ

그리고 자기 자신을 스스로 평가했던 '평가지 쓰기' 수업 활동도 의미가 있었습니다. 전에 있었던 일들 성찰할 수 있었던 기회였습니다.

아! 맞다!

품사를 배우면서 감탄사로 대답했던 것도 재미있었습니다. 선생님께서 OO이의 이름을 부르셨을 때, OO이가 "어머, 자기야 나 불렀어?"라고 말했던 게 아직도 생생하게 기억에 남습니다. 그 수업 활동을 통하여, 여러

감탄사를 알게 되어서 좋았고, 친구들의 재미있는 대답을 듣는
것이 재미있었습니다.
선생님!
1년 동안 국어수업, 정말로 재미있었습니다.
2학년 올라가서도 '시간 엄수'를 하면서, 열심히 공부할게요.
사랑합니다. ♡

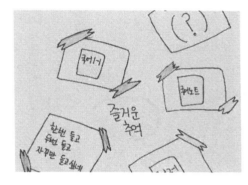

Dear 국어선생님께
선생님 안녕하세요!
저는 1-O반의 학생이자 'OOO조'의 조장인 OOO입니다.
오늘이 올해 마지막 국어시간이라 뭔가 마음 한편 속상하고,
아쉬운 마음이 있습니다.
학기초부터 쭉 국어수업을 선생님과 하다 보니까
여러 생각과 마음이 생겼습니다.
학기초에는 발표할 때 틀릴까 두려워서 발표를 잘 못하였는데,
"한 번 들고, 두 번 들고…" 여러 번 들어보니까,
선생님께서 칭찬도 해주시고,

발표할 때 틀릴까봐 두려운 마음을 바꿔보니,

틀려도 발표를 했다는 나의 모습이 자랑스럽고 뿌듯해서

요즘엔 발표도 많이 하고, 수업에 적극적인 저의 모습을 많이

보여드릴 수 있었던 거 같습니다. 그래서 이제는 발표를 할 때

두려움이 아닌 행복, 뿌듯함이 생기는 것 같습니다.

사실 처음에는 선생님이 엄청 무서운 선생님이신 줄 알았는데,

선생님을 점점 알아가면서, 저희에게 많은 생각을 하게

해주시고, 저희 생각을 많이 해주시고,

저희를 사랑으로 품어 주셔서 감사하고,

감사하다는 말을 헤드리고 싶었습니다.

또 저희를 위해 많은 수업, 다양한 수업을 해 주셔서

감사합니다.

저는 1학년 첫 국어 시간에 책을 안 가져와서 엄청 걱정

들었는데, 그 이후로 국어선생님께 더 예뻐 보이고 싶고,

국어수업을 더 열심히 하고 싶은 마음이 생겨서

그때부턴 더 선생님 말에 귀 기울이고, 더 집중하여

수업을 들을 수 있었던 계기가 되었습니다.

저는 물음표 발표를 하는 것도, 수업 시간에 발표를 하는 것도,

선생님과 친구들과 같이 수업하는 것이

평생 기억에 남을 거 같습니다.

저의 생각을 바꿔 주셔서, 감사합니다. ♥

국어선생님께

선생님! 안녕하세요? 저 ○○이에요.

처음 국어시간엔 좀 무섭고, 물음표라는 게 무엇일지

상상이 안 갔는데, 이젠 익숙하고, 물음표를 생각하면

국어시간이 생각나더라구요!!

수업 하면서 학생들이 졸지 않게 기습 공격도 해주시고,

간식도 나눠 주시고, 또 많은 시들도 읽어 주셔서, 수업이

재미있던 것 같아요.

1학년을 되돌아보면 혼날 때도 있었지만, 다 함께 웃고 떠들던

국어 시간이 많이 생각나요! 국어노트라는 시작으로,

'홀로서기', '모둠서기(?)'도 하고,

다 같이 나와 서프라이즈도 하고, 많은 추억이 있어요.

국어노트를 쓰면서, 저에 대해 성찰을 많이 하게 됐고,

일상들도 바뀌어 가며 성찰 내용을 생각하면서 살게 되는 것

같아요.

첫 날에 국어책을 꺼내 놓지 않은 친구가 있어 혼났던 것도

생각나고, 그때 혼난 걸 생각하면서, 항상 국어 전에 수업이

끝나면 국어책을 펴 놓고, 놀기를 시작하게 되었더라구요.

그 한 번의 일로 제가 이렇게 바뀌는 게 신기하고

새롭더라구요.

발표도 안 하는 저는 앞에 나가서 말해 본 적이 많지

않았는데, '홀로서기'라는 걸 시작하고부터 앞에 나가

발표도 하고, 좋은 경험이었어요. ♥

아직 많이 부족한 저와 O반을 아껴 주셔서 감사하고,

혼낼 땐 혼내더라도 위로가 되는 말들도 많이 해 주셔서

너무너무 감사해요!

초반엔 국어노트도, '홀로서기'도 왜 하는지 이해가 안 됐는데,

그게 저를 성장시켜준 거 같아, 선생님께 감사하더라구요.

선생님이 말해주시는 선배들의 조언도, 교훈도

다 기억나는 것 같고, 국어가 지루하다는 생각이 들면,

그럴 때마다 어떻게 아셨는지 시를 들려주시고,

잠을 조금이나마, 1분이라도 자게 해 주셔서

수업에 집중할 수 있고, 졸지 않고 공부할 수 있었어요.

그런 거 생각하면, 너무 감사하고 행복했어요.

항상 감사했습니다.

국어선생님께

안녕하세요? 저 ○○입니다.

벌써 국어쌤과 함께 한 지 1년이 다 되어가네요.

아쉬운 마음도 크지만, 후회없이 보낸 것 같아 후련함도
큽니다. 1년을 돌아보니, 1학기 때부터 2학기, 정말 많은 일이
생각납니다.

첫 날!

물음표를 선생님께서 알려주실 때, 참 신선했습니다.

선생님은 창의적이시고, 깊은 생각을 하시는 것 같습니다.

초반엔 이런 걸 왜 하는 거지? 싶었는데,

시간이 지날수록 선생님의 속 깊은 마음이 느껴졌기
때문입니다.

물음표를 하다 보면 '나'를 기본적으로 성찰하게 되고,

이 성찰은 선생님께서 매번 중요하다고 하신 것처럼
중요하니까요. 이뿐만은 아닙니다.

주제를 생각할 땐 '무엇을 해야 친구들에게도 도움이 될까'
고민하게 되고, 이것을 하면서 친구들도 생각하니까

'물음표'는 나 자신을 더 낫게 해주는 지름길인 듯합니다!

그리고 저는 초등학생 때 TV보고 따라 적고,

선생님 말 듣고 이런 식으로 국어공부를 했는데,

선생님은 그런 공부를 비판하시고,

실제로 국어시간에 TV보고 답을 마냥 따라 적는 공부가 아닌,
'생각'을 하고, 자신의 의견을 말하는 공부를 유도하시는데,
저는 이 공부법, 정말 좋은 것 같습니다.
왜냐하면 솔직히 초등학생 때 공부는 기억이 잘 안 나는데,
이번 1년 공부한 것은 열심히 해서 그런지 기억이 잘 나기
때문이에요.
그리고 기억 남았던 수업 중 하나가, 주제시간에 한 거긴
하지만 낙엽에 그림 그리고 꾸몄던 활동!
자연친화적이어서 좋았어요.
이 낙엽을 찾으러 주위를 돌아다니니, '우리 동네에 이렇게
생긴 낙엽도 있구나' 알게 되어서 좋았습니다!
또 발표를 계속하니까, 원래 발표를 잘 못하는 성격이었던
제가 발표를 잘 할 수 있게 된 것 같아요.
진짜 "한 번 듣고, 두 번 듣고, 자꾸만 듣고 싶네"처럼요. ㅎㅎ
국어선생님을 만나 국어 실력도 한층 더 업그레이드되었고,
나 OOO도 더 업그레이드되었습니다.
국어선생님 덕분에 우리 반의 협동심도 길러진 거 같아요!
열정적으로 학생들을 가르쳐 주셔서 감사해요!
언제나 노력하시는 모습, 본받고 싶습니다.
이번 한 해 동안 정말 수고 많으셨고, 앞으로도 이렇게
학생들을 생각하는 마음으로 가르쳐 주셨음 해요

부족한 부분이 많은 저였지만,

넓은 마음으로 키워 주셔서 감사드려요.

2학년이 되어서도, 열심히 노력하는 제가 되겠습니다.

새해 복 많이 받으시고,

♥ 사랑합니다~♥

To. OOO 선생님

안녕하세요. 저 OOO이에요.

이제 곧 1학년 생활도 끝나가네요.

선생님이랑 처음 수업한 날에 저희 반이 좀 잘못하긴 했지만,

선생님이 좀 무섭게 느껴졌는데, 막상 1년 동안 같이

수업해보니, 외외로 재밌으시고, 유쾌하신 분이더라고요!!

국어시간에도 만나고, 주제시간에도 만나서, 선생님이랑 추억이

많이 쌓인 것 같아서 좋아요. 특히 주제 시간에 여러 활동을

하면서 정말 즐겁다고 생각했어요. 역시 오래 선생님 생활을

하셔서 학생이 좋아하는 수업을 생각해 주시고, 진짜 짱이에요!

선생님이 국어시간에 저희한테 여러 조언(?) 같은 말을 해

주셨을 때, 너무 감동받는 말도 있어서, 눈물이… ㅠㅠ

진짜 너무 감사해요.

선생님이랑 국어공부하니깐 국어실력이 많이 상승되었어요.

중2 되면 시험을 보는데, 국어는 90점 이상 맞을 것 같아요.

그만큼 열심히 수업해 주시고, 몸도 약하신데, 하루도 빠짐없이

즐겁게 수업해 주셔서 감사합니다!!!

내년에 같이 수업하지 못할 수도 있다는 사실이 좀 슬프네요.

그래도 중2 되면 쌤 보러 찾아 갈게요.

항상 칭찬해 주시고, 이쁜 말 해 주셔서 자신감이 상승되고,

기분도 좋아진 것 같아요.

1학년 가르쳐 주는 선생님 중에서, 선생님이 가장 칭찬 많이

해주시는 것 같아요. 내년 1학년도 선생님의 수업과 칭찬을

들으면, 무조건 좋아할 거예요.

1년 동안 국어수업 해 주셔서 정말 감사하고,

사랑합니다.

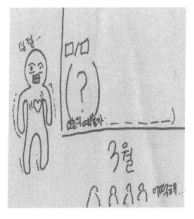 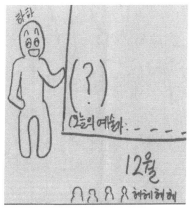

안녕하세요,

항상 선생님께서 하셨던, 인생에 도움되는 말들이 제가 선택의 길로 왔을 때, 많이 도움이 되는 것 같아요. 😊

선생님의 수업을 들으면서 성찰이란 것을 배우고, 그 계기로 하루 하루마다 나 자신을 되돌아보게 되었어요~

나 자신을 되돌아보고,

'이런 점은 나에게 칭찬을 해줘야지'라는 생각이 들었고,

아쉬웠던 점은 그냥 넘기지 않고, 메모해가며,

'내일 이런 점을 고쳐야지'라고 생각하며 지내니,

시간이 지날수록 나 자신을 믿고, 더욱 사랑하게 된 것 같아요.

초등학교 시절에는 코로나 19로 인해 집에 있다 보니, 행복했던 날보다 우울한 날이 많았는데, 국어수업을 듣고 항상 활발해지는 O반 친구들을 보며, 저도 같이 웃게 되는 거 같아요.

어렸을 땐 그저 '한글만 할 수 있으면 되지 않나?'란 생각이 들었지만, 이제는 모르는 것이 있으면, 인터넷 자료를 확인해보고, 항상 궁금증을 가지며, 사고력을 키우게 되는 것 같아요.

'?'를 표현하며, 그림에도 자신감이 붙고, 원래는 수줍음이 많아서 발표를 잘 못하는데, '내가 이렇게 자신감 있게 발표를 할 수 있었구나' 라는 생각도 들고, 이 활동을 하며

'내가 전하고 싶은 것이 무엇인지' 표현하는 능력이
점점 느는 것 같아서 많이 뿌듯하고, 더 열심히 하고 싶은
욕심도 들더라고요. ♥
저는 국어수업을, OOO쌤 수업을 듣게 되어서 행복한 것
같아요. 원래 저는 글을 인터넷 아니면 잘 읽지도 않는데,
최근에는 책도 읽고, OOOO년 목표에도 독서를 한 달에 4권
이상 하는 것이 목표입니다.
항상 감사하고, 더 발전하는 OOO이 되겠습니다.
사랑합니다.

국어선생님께

1년 동안 국어수업을 통해서, 마음과 지식 둘 다 성장한 것
같습니다.
교과서에 나온 지식뿐만 아니라 감언이설, 괄목상대 등 새로운
말들도 알게 되었고, 국어노트 작성을 통해 나 자신을

평가하는 법도 더 배웠습니다.

또한 친구들과의 모둠 활동을 통해 의사소통능력,

대인관계능력, 협동심을 기르게 되었고, 여러 표현활동 덕분에

더 성장하고 즐거웠던 것 같습니다.

예습, 복습을 통해 내가 스스로 공부하는 것을 더 잘하게

된 것 같고, 다른 수업보다 더 발표를 많이 할 수 있어서

더 자신감 있게 발표할 수 있게 되었습니다.

낙엽에 표현하는 활동을 통해, 자연과도 더 친해진 것 같아서

좋았습니다.

국어선생님,

항상 저희에게 부드럽고, 친절하게 대해 주셔서 감사합니다.

사실 1학년 초반에는 조금 당황스러웠습니다.

제가 지금까지 들었던 수업의 스타일과 많이 달랐거든요.

그러나 선생님 덕분에, 국어시간에 더 많은 것을 배운 것

같습니다. 여러 활동들을 해서, 오히려 더 유익하고,

즐거웠습니다. 1년 동안 많은 것을 가르쳐 주셔서

감사합니다.

앞으로도 국어선생님의 말씀을 마음에 새겨 두고

살아가겠습니다.

선생님, 감사합니다.

사랑합니다.

안녕하세요, 선생님.

저는 OOO입니다.

길다면 길고, 짧다면 짧은 국어시간.

시간 진짜 빠르게 지나갔습니다. '중학교에 가서 어떡하지'

했었는데요.

선생님 수업, 저는 그게 새롭고, 학교에 빨리 적응할 수

있었습니다.

그래서 너무 감사한 마음이 들었고, "틀려도 괜찮다"라는

말씀에 마음이 놓여 학교 생활이 즐거웠습니다.

2학년, 3학년 올라가도 저는 선생님이 계속 생각이 날 것

같습니다.

선생님과 '문학사랑'도 하고요. 그 추억이, 기억이 많이 날 것

같습니다. 선생님과 함께 공부하여, 너무 즐거웠고,

행복했습니다.

진짜 성인 돼서도, 선생님이 계속 보고싶고 생각이 날 것

같습니다. ♥

선생님께서도 저 기억해 주시면 좋겠습니다.

저의, 국어시간 평가는 너무 만족스럽고,

가르쳐 주셔서 감사합니다.

마지막으로, 감사합니다 (꾸벅)

사랑합니다.----

3월,

모든 것이 낯설었습니다.

선생님, 친구들, 학교 모든 것이요.

한 치 앞도 알 수 없지만, 열심히 달려오던 제가

OOOO년의 마지막 국어 수업을 듣는 제가 되었습니다.

선생님과의 첫 만남 때도, 하얀 종이에 저를 채워갔던 것

같은데, 올해의 마지막 만남에도 새하얀 종이에 저를 채워가니,

이번이 꼭 마지막이 아니라 새로운 출발 같기도 합니다.

선생님을 통해 많은 것을 배웠습니다.

국어수업 뿐만 아니라, 동아리 '책사랑부', '예술사랑'도

함께 한 저는 더욱이요.

책 내용뿐만아니라 재미있는 시도, 친구들과의 추억도, 세계의

여러 예술 작품도, 삶의 지혜도, 나를 돌아보는 법도…

모든 활동에서 많은 것을 배우고 깨달았습니다.

모두 보내고 싶지 않지만,

3월부터 열심히 달려온 것처럼 어김없이 내일은 찾아오고,

지금 이 시간에도 시간은 끊임없이 흐릅니다.

그렇지만 흘러가는 시간 속에서 마냥 슬퍼하기보다 머릿속에서

이 순간들이 끝까지 좋은 추억으로 남을 수 있게 노력할

것이고, 얼마 남지 않은 시간을 즐길 것입니다.

그리고 새 출발을 기분 좋게 맞이하고 싶습니다.

좋은 한 해로 남은 것에 큰 도움을 주신 선생님께
무한한 감사를 보냅니다.
감사합니다.

-1년 동안 가르쳐 주신 국어선생님 -

국어선생님 안녕하세요!
선생님에게 1년 동안 국어수업을, 가르침을 받은 OOO입니다.
먼저 1년 동안 저희 O반에서 수업하면서
응원의 박수, 칭찬의 박수를 치면서,
저희 O반 친구들이 더 밝아진 것 같아 정말 좋았고,
성찰에 대해 잘 몰랐지만
선생님 덕에 성찰 능력이 쑥쑥 자란 것 같고,
사고력 등도 길러졌고, '홀로서기', '모둠서기'를 통해
낮았던 사고력과 평가능력이 쑥쑥 올라가, 도움이 많이 되었고,
'밝고 맑은 눈을 가지는 습관' 등…… 본받고 싶은 점이
정말 많아요.
그래서 전 선생님을 평가하자면, 10점 만점에 100점입니다.

OOO 선생님께

선생님과 함께 한 국어시간은, 10점 만점에 10점으로 엄청
완벽했습니다.
그동안 잊고 있던 것들을 선생님 덕분에 성찰을 해보았고,
수업을 처음에는 귀찮아 하고, 싫어했는데 바뀌었습니다.
선생님과 함께 하는 국어시간을 기다리게 되고,
나 & 친구들에 대해 많은 생각을 할 수 있었으며,
선생님도 저희가 원하는 수업을 위해 많이 노력해 주셨습니다.
처음에는 하기 싫었던 물음표 발표도
어떻게 선생님을 놀라게 할 수 있을지
친구들과 아이디어를 모으는 시간이 되었습니다.
올해 국어시간, 절대로 잊지 못할 소중한 추억인 거 같습니다.
국어시간으로 많은 교훈을 얻으면서,
우리 모두 성장한 거 같고,
모두가 국어시간을 즐긴 거 같아서 좋았습니다.
가장 기억에 남는 수업은 우리 반 친구들의 멋진 연기 실력
덕분인지, '토끼전' 연극했던 날이 기억에 남습니다.
그 때 친구들이 열심히 연습해준 모습이 좋았고, 그만큼
실전에서도 멋지게, 재미있게 연극을 해준, 저희 반이 멋지다는
생각 밖에 안 들고, 연극을 재미있게 봐주신 선생님께도
감사합니다.

나중에 '모르는 것은 꼭! OOO선생님께 물어보고 싶고,

기회가 되면 선생님의 수업을 다시 듣고 싶을 정도로

완벽했습니다.

그리고 선생님이 알려주신 물음표 발표는 다른 친구들과도

하고 싶을 정도로 재미있었고, 남은 5번의 수업도 깜짝 놀래켜

드리고 싶습니다.

선생님이 해주시는 국어수업 덕분에 저희 반은

열정으로 뜨거웠고, 웃음으로 아름다웠던 거 같습니다.

이것보다 더 많은 이유도 있지만,

저는 이러한 이유들로

이 즐거웠던 국어수업은 10점 만점에 10점이라고 생각합니다!

선생님,

선생님과 함께 한 국어시간은 너무 즐거웠고,

잊지못할 소중한 추억이 될 거 같아요.

그동안 너무 감사했고, 수고하셨습니다.

곧 새해인 만큼 건강하시길

기원합니다.

새해 복 많이 받으세요!

선생님

선생님을 처음 봤을 때를 아직도 기억할 수 있었던 이유는,
선생님의 우아한 목소리 때문이었던 것 같아요.
처음 해보는 수업 방식에 처음에는 머리카락 세 가닥 있는
물음표를 그리는 것도, 칠판에 단원명과 학습목표를 적을 때도,
어색한 친구들과 같이 '오늘의 물음표는 어떤 것을 할까?',
'오늘은 어떤 성찰을 했지?' 라면서,
칠판에 저희의 예술성, 창의성을 나타내는 시간을, 이제야
생각해보니 정말 행복했던 추억들이네요!
학기 초에는 예습도 안 해오고, 수업 준비도 적어서 선생님께
걱정을 들었을 때, 그때 당시에는 '우리도 열심히 했던 것
같은데…'라고 생각하며 친구들과 같이 속상한 마음을
털어놓기도 했었어요. ㅎㅎ
그런데 지금 생각해 보면, 그런 걱정들이 전부 우리를 위해서,
그냥 수업을 진행하실 수 있으셨지만 선생님의 시간을
더 쓰시면서, 저희에게 걱정해 주셨구나 하는 생각에,
지금은 선생님께 감사할 따름입니다.
선생님을 만나고 공부하는 방법이랄까요?
단순한 국어가 아닌 여러 한문들, 좋은 말들, 시, 음악으로
저희의 감수성을 더 높이는 기회가 되었어요.
아! 물론 국어수업을 통해 국어 실력도 많이 늘었고요. ☺

제가 1학기 국어부장 다음으로, 2학기 국어부장을 맡으며
다른 반의 국어부장보다 조금 많이 부족했지만, 그것마저
보듬어 주시며, 계속 국어부장을 할 수 있게 해 주셨던 것이
정말 감사하게 느껴집니다.

To. OOO 국어선생님

1년 동안 너무 감사했습니다!
항상 좋은 말과 칭찬해 주셔서 감사합니다.
1년 동안 많은 내용들을 배우고,
'물음표', '오늘의 예술가'를 통해, 많이 성장할 수 있었습니다.
선생님과 함께 하는 수업마다 너무 즐겁고, 알차게 보내,
45분의 수업 시간이 짧게 느껴졌습니다. 수업 시간에,
좋은 시 들려주셔서 감사합니다!
♡ 사랑합니다.

OOO 선생님은
OO하시고
O구슬처럼 아름다우시다.

먼저 가장 드리고 싶은 말씀은

'감사합니다'입니다.

중학교에 들어오기 전 저 OOO은 기발한 아이디어,

창의력이 많이 부족했던 사람이었습니다.

하지만 국어시간에 '물음표'라는 것이 생기며, 주제를 파악하는

능력, 저의 생각을 글로, 말로, 그림으로 표현하는 능력이

생겼습니다.

처음엔 적응이 안 되어,

어색한 탓에 별로 하고 싶지 않았던

적도 있었습니다. 하지만

하면 할수록 용기가 생기고,

재밌어지고, 하고 싶어지는 느낌을

많이 받았습니다. 이런 게 바로 국어시간의 물음표,

국어선생님의 매력인 것 같습니다.

다른 과목 시간엔 생각도 못할 음악과 휴식시간을 주시며,

공부를 할 때 편한 느낌을 주셨습니다.

이 모든 것이 국어선생님이셨기에 가능했던 것 같습니다.

항상 색다른 국어시간이 기대가 되었는데,

벌써 남은 국어시간이 4시간입니다. 이럴 때 시간이 빠르다는

것을 느낍니다.

1학기와 2학기 초반까지 국어부장으로 활동한 것이

정말 큰 도움이 되었던 것 같습니다. 선생님 덕분에
컴퓨터에서 유에스비를 빼는 방법 같은 사소한 것부터,
공부 관련, 일상생활에 도움이 되는 많은 지식을 얻었습니다.
선생님의 얘기를 들려주시면 다양한 정보를 들었던 것이
저의 배경지식을 넓히는 데 많은 도움이 되었습니다.
예술적인 선생님께 아름다운 음악의 매력, 멋진 그림의 매력,
감동적인 시의 매력까지 깨닫게 되었습니다.
저에게 국어시간은 그 어느 시간보다 유익한 시간이었습니다.
저는 선생님의 국어수업을 뒷 반뿐만이 아니라 앞반까지 다
들을 수 있었으면 좋겠습니다.
정말 기회가 된다면 2학년 때도 선생님과 함께 하고 싶을 만큼
헤어지기 아쉽고, 이 수업이 너무나 좋습니다.
그동안의 저를 성찰해보면, 아쉬운 점과 후회되는 부분들이
너무 많지만, 남은 국어시간에는 이 부분을 다 만회할 만큼
열심히 해보겠습니다.
선생님!
새해 복 많이 받으시고, 내년에도 건강하시길 바래요!
선생님이 전해주신 메시지, 평생 기억할 거예요.
올해 저희 반을 맡아서 많은 것을 알려주셔서,
너무 감사드리고,
사랑합니다!! ♥----

To. OOO 선생님 ♥

안녕하세요, 선생님!

저는 1학년 O반 OOO입니다.

제가 선생님을 만나기 전 성찰력, 의사소통능력이 부족했는데,
중학교 1학년 때 선생님을 만난 이후로 성찰에 대해 배우면서
제 자신을 한 번씩 돌아보며 성찰을 습관적으로 하다 보니,
성찰력이 높아진 것 같습니다. 이외에도 '예술사랑'이나
국어 시간에 친구들끼리 서로 모여 한, 연극 주제에 대한
발표로 인해 부족했던 의사소통능력도 예전보다
훨씬 늘었어요.

저희 1학년 국어선생님, 1학년 O반 부담임 하시느라,
정말 수고 많으셨어요.

수업도 열심히 가르쳐 주시고, 업무도 보시고, 어떨 때는
출장도 가셔서 많이 힘드셨을 텐데, 항상 친절을 베풀어
주셔서 감사합니다!

언젠가 선생님과 함께 할 수 있는
날이 올 수 있으면 좋겠어요.

선생님 존경하고, 사랑합니다. ♥

　　　　선생님 제자, OOO 올림.

안녕하세요!

2023년 1학년 ○○입니다.

벌써 이번 연도 마지막 국어수업이라니 지금까지의 국어 수업이 주마등처럼 지나가네요.

첫 수업에 선생님께서는 발표하는 친구들을 좋아한다고 하시고, 질문할 사람이 있냐고 물으셨을 때, 6학년 때까지는 절대 들지 않고, 들지 못했던 손을, 3명 중 마지막으로 들었던 기억이 가장 먼저 남네요.

그리고 국어부장이 되고는 물음표를 매일 열심히 했었는데, 그 당시 초반에는 처음 해보는 활동이라 생각이 안 나고 울먹거렸던 날도 많았어요. 이제는 익숙해지고, 창의 사고력도 저도 모르는 사이에 성장해서, 물음표뿐만아니라 여러 활동에서 다양한 생각을 하고 이를 표현하는 표현력도 많이 성장한 것 같아요.

그리고 솔직히 선생님, 친구들의 질문에 대답하는 경험이 쌓이며 순발력과 빨리 생각하는 능력도 는 것 같아요. ㅎㅎ 선생님의 수업에서 좋았던 것은 교과서대로만 읽고, 답을 베끼던 전 국어선생님들의 수업과 달리 심화학습뿐만아니라 자기주도학습 방법과 여러 능력을 키울 수 있던 수업형식이었어요.

덕분에 많이 성장하고, 2학년 올라갈 수 있을 것 같아요.

아직 국어수업이 끝나지 않았지만, 지금까지의 국어수업을
열심히 해 주셔서 감사하고, 앞으로 남은 수업
열심히 해보겠습니다.
사랑합니다. ♥

우리의 국어선생님

국어선생님께선 언제나 밝고,
맑고 큰 눈을 가지셨고,
본받을 점이 정말 많습니다.
차분하시고,
뭣보다 지금까지의 국어시간 중 제일 새로웠던 것 같아요.
처음엔 적응하기에 어려움이 있었지만, 그래도 괜찮고
좋았습니다.
또 선생님께선 웃는 모습이 정말 이쁘세요.
물음표 발표 활동을 하면서 처음에는 발표가 싫어 좀 떨리기도
했지만
지금은 용기 내어 큰 소리로 할 수 있게 되었어요.
친절하게 대해주시고, 배려해 주셔서 감사해요.

1년 동안의 국어 시간

활동 중 가장 재미있었던 활동은, 모둠 친구들과 창의적인
발명품을 만들었던 것과 낙엽에 그림과 글을 썼던 활동입니다.
발명품을 모둠 친구들과 만들어보는 활동을 할 때에는 별로
좋은 아이디어가 떠오르질 않아서 걱정을 좀 했었는데,
아무리 터무니없는 엉뚱한 발명품이어도 창의적이라며 웃어
주시는 국어선생님께 참 감사했습니다.

저는 발명품에 대한 아이디어를 모둠 친구들과 함께 내고,
발표 준비를 하는 과정이 살짝 힘들긴 했어도 친구들과 함께
해서 참 재밌었고, 친구들의 엉뚱한 발상에 놀람과 웃김을
느꼈었습니다.

친구들과 신박한 발상과 아이디어를 서로 공유하며 창의적인
사고력을 기를 수 있었던 것 같습니다.

또한 다른 모둠 친구들의 발표를 들을 때, '다른 모둠 친구들은
이런 생각을 했구나~!'라는 생각이 들면서 멋진 발명품을
소개받아 재미있었으며 친구들이 역할극까지 해가며 발표를 해
참 많이 웃을 수 있었던 시간이었습니다.

낙엽에 글과 그림을 그리는 활동도 참 재미있었는데,
일단 애초에 낙엽에 글과 그림을 그려본 경험을
그때 처음 한 거였고 직접 낙엽을 줍고, 말려서 썼기 때문에
더욱 더 의미 있는 활동이었던 것 같습니다.

하필이면 낙엽을 줍는 날에 비가 와서 말리는데 힘이 들긴
했지만, 그만큼 제 기억에 더 잘 남게 되었습니다. 그리고 이
활동을 하며 기억도 잘 나지 않는, 아주 어린 시절 이후로
거의 처음으로 단풍잎을 자세히 구경하며 단풍잎의 예쁨을
알게 되었고, 낙엽을 예쁘게 말리는 게 생각보다 어려우며
낙엽 위에 글과 그림을 그리는 게 어렵다는 것을
처음 알게 되었습니다.
국어선생님 덕에 이런 경험들을 해볼 수 있어 너무
감사했습니다.
솔직히 처음에는 국어선생님 수업 방식이 특이하셔서
적응하는데 많이 힘이 들었습니다. 또 학기 초에는
국어선생님을 많이 무섭고, 까다로운 분으로 생각했습니다.
하지만 수업이 거듭될수록
국어선생님이 진심으로 저희를 위해 주시며
참 다정하고 마음이 여린 분이라는 것을 알게 되었습니다.
항상 저희를 생각해주시고, 위해 주시며 걱정하고
사랑해주시는
국어선생님께 너무 감사합니다.
이렇게까지 학생을 진심으로 대해주시는 선생님이 처음이라
국어선생님을 처음 봤을 때 더욱이 익숙치가 않았던 것
같습니다.

앞으로 살면서 OOO선생님 같은 선생님을 또 만나기가 무척
어려울 것 같아서, 2학년이 된다는 게 참 슬프지만,
선생님이 국어 시간에 저희에게 알려주신 국어 공부 지식들과
삶의 지혜를 가지고 멋지게 살겠습니다!
제가 부족한 부분이 정말 많았는데, 항상 지적할 부분은
지적하여 제가 부족한 부분을 고칠 수 있게 해주시고,
무작정 화를 내시기보단 상냥하게 대해 주셔서 너무 너무
감사했습니다.
또 저희에게 예쁜 말들 많이 해 주셔서
정말 감사했습니다.
솔직히 내년이나 저희가 3학년이 되었을 때도
저희를 따라오셔서
국어를 가르쳐 달라고 보채고 싶지만 국어선생님이
1학년들의 순수함이 좋다고 하셨으니, 안 따라와 주실 것
같아서, 많이 속상합니다. 2학년이 되면, OOO선생님이 가르쳐
주시지 않는 국어가 많이 낯설 것 같습니다.
선생님께 정이 들었는데, 정말 아쉬워요.
그래도 선생님께서 내년에 바로 저희를 잊지는 않으시리라고
믿습니다!
내년에 맡으신 학생들도
OOO선생님의 멋진 가르침을 잘 받을 수 있으면 좋겠습니다.

그리고 마지막으로

쭉 선생님께 느꼈던 생각인데 말할 기회가 없어서
말씀드리지 못했던 건데, 선생님 옷 정말 잘 입으세요!
옷을 엄청 감각 있고, 멋지게 입으셔서 놀랐습니다.
또, 선생님 목소리가 엄청 소녀스럽고 예쁘세요.
특히 웃으실 때 너무 예뻐요.
어차피 익명이라 제가 아부를 떨 이유도 없고, 진심으로
평소에 느꼈던 것들이에요!
그리고 1학년 선생님들 중 가장 연장자시라고 들었는데,
오히려 다른 선생님들보다 열린 사고(오픈 마인드)를 가지고
계시고 그림, 연극 등 다른 활동들도 많이 하셔서 너무너무
멋지다고 생각했습니다. 저도 선생님처럼 앞으로 멋진
장점들을 가질 수 있게 노력하고 싶어요!
물음표, 국어 수업 준비, '벗자랑, 벗사랑' 등 국어 시간에 한
활동들 모두 참 의미 있고, 많은 깨달음을 얻었는데, 시간이
한정적이라 다 적지 못해 아쉽습니다.
아무쪼록 1년 동안 말로 다 형용할 수 없는 많은 것들을
가르쳐 주셔서, 다시 한 번 감사드립니다.
사랑합니다.

To 존경하는 국어선생님께

안녕하세요 선생님! 1-0반 OO예요. ♡

부끄럽지만 용기 내어 써보려고 해요.

선생님과 지난 1년 동안 함께 해서 정말 행복했어요.

제 기억에 남는 것, 첫번째로 기억에 남는 건, 국어시간의
핵심이 되는 물음표(?)입니다. 중학교 입학한지 얼마 안 됐을
때, 가장 먼저 제 눈에 확 보인 건 물음표여서 그런지
아직까지도 물음표가 제일 먼저 생각나는 건, 저 뿐만 아니라
친구들도 느꼈을 거라고 생각합니다.

물음표를 그리고, 나와서 발표를 했다는 뿌듯함과 성취감이
엄청나기 때문입니다. 발표를 하고 난 후 친구들의 힘찬
박수를 받으면, 기분이 엄청 좋아져서 물음표를 먼저 소개하게
되었습니다.

두 번 째는 시입니다. 국어선생님께선 가끔씩 시를 들려
주시는데, 정말 힘든 날에 국어선생님 시를 들으면 나도
모르게 집중하고, 하루 동안 힘들었던 것들이 다 내려가는
기분인 것 같아서…

선생님께서 가르쳐 주신 수업 내용은, 언제든지 쏙쏙 잘
들어가는 거 같아요!

선생님께서 해주시는 수업이, 저에겐 정말 힘이 났어요!!
항상 열정적으로 수업해 주셔서 감사하고,

사랑합니다. ♥

선생님이 계셔서 정말 좋았고, 선생님이 제 스승님이라서,

감사했어요.

국어선생님의 그 따뜻한 마음이 너무 좋았어요!

비록 부족한 학생이었지만, 잘 해 주셔서 감사합니다.

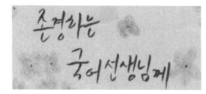

존경하는 국어선생님께

국어선생님, 안녕하세요!

1학년 O반 OOO입니다. 1년 동안 선생님 제자로

많은 성장을 할 수 있었던 것 같습니다.

성찰을 하며, 항상 저의 부족한 점을 채워 나가야겠다는

생각을 하며 살겠습니다!

제 중학교 1학년의 첫걸음인 국어선생님이 되어 주셔서

정말 감사합니다! 1년 동안 선생님께 많은 것을 배웠습니다.

항상 감사하고, 사랑합니다.

365